OPERACIÓN MASACRE

RODOLFO J. WALSH

OPERACIÓN MASACRE

EDICIONES DE LA FLOR

Vigésima tercera edición: septiembre de 2001

Diseño de tapa: Magdi Kelisek

Gorriti 3695, C1172ACE Buenos Aires, Argentina.
www.edicionesdelaflor.com.ar

Hecho el depósito que dispone la ley 11.723
Impreso en la Argentina
Printed in Argentina

ISBN 950-515-352-X

RODOLFO WALSH: TABÚ Y MITO

Osvaldo Bayer

No tengo otra forma de definir a Rodolfo Walsh que tomar la frase de Madame de Staël referida a Schiller: "La conciencia es su musa". Su conciencia lo seguía a todas partes. ("Me siento insultado, como me sentí sin saberlo cuando oí aquel grito desgarrador detrás de la persiana.") Ése es el parámetro de su vida: su conciencia. Predestinación de mezclarse con la vida, de meterse. No fue consciente, tal vez, de su predestinación. La sangre que circulaba por sus venas no lo dejaba tranquilo con los productos que le depositaba en el cerebro. Sus mejores cualidades literarias fueron alma y humanidad. (Y precisamente ésas no son las que hay que tener para ser considerado un creador literario. Los mandarines oficiales de la cultura del '83 lo quisieron apostrofar con aquello de "esteta de la muerte". Arrogancia y profundo desconocimiento humano propios de cierta cultura académica sostenida con papeles de Harvard y Cambridge.) Sí, porque Rodolfo Walsh era de Choele-Choel y había cabalgado doscientos kilómetros para salvar el caballo de su padre muerto. Ésa es su verdadera universidad; esas horas plenas de dolor del chico ante ese mundo amenazante, ante ese Dios ontológicamente injusto con los débiles, que son siempre los faltos de malicia. La inspiración de Walsh siempre vino de las contrapartidas, porque sospechó de la miopía que crece en la rutina de los claustros. Por eso Walsh se les escapa a los críticos establecidos –los frígidos y los infibulados– que no lo pueden encasillar. Y no van a poder nunca. Esos examinadores sinodales no se atreven a aplazarlo pero no le dan el pase para ser admitido en las órdenes sagradas. Lo califican de periodista para enviarlo al depósito de mercaderías varias. Walsh –creo– habría aceptado gustoso la definición de "autor de novelas policiales para pobres" si hubiera leído el ensayo que le dedicó un buen hombre, tal vez un tanto confundido por la enorme fuerza de este autor y su obra, por la mezcla salvaje de ética y rebeldía, con una imaginación donde se notan las precoces transfusiones de la sangre de Georg Büchner, de Roberto Arlt y de aquel increíble "reportero frenético" Egon Erich Kisch, el genial cronista de la república de Weimar que desnudó la falacia de Hitler y sus protectores, y lo previó todo antes del '33. No sé si Walsh quiso hacer con su máquina de escribir más pedagogía social que literatura; si se lo propuso o se lo preguntó a sí mismo. Sus respuestas son irónicas a este respecto. Su idioma dominaba todos los registros; le interesaba ser breve y claro para que lo comprendiese el lector pobre de novelas policiales. Esto no se lo van a perdonar jamás ni la sociedad argentina establecida ni sus acólitos, que nunca quieren perder el tren del poder y se sienten cómodos en sacralizar a sus intelectuales octogenarios hundidos en el suave desencanto de la vida con la metáfora siempre elegante de la duda y el pesimismo.

A Walsh no lo van a perdonar porque él sobrevoló su propio laberinto para acompañar en calles cuadradas y simétricas, numeradas del uno al cien, al desconocido que es condenado a muerte todos los días por las circunstancias y sus custodios.

Tabú y mito quedará para siempre Rodolfo Walsh entre nuestra sociedad argentina y sus mandarines culturales, por un lado, y los que divagan entre la poesía, el sueño y la justicia con sol.

A Walsh lo han llamado "el anti-Borges". Qué rara coincidencia. Al joven Büchner (apenas con su magistral fragmento *Lenz*, con su *Woyzeck*, su *Leonce y Lena*, su *Muerte de Dantón*) lo califican el "anti-Jünger" (y a éste, el "Borges alemán"). Büchner era –como Walsh– un agitador. Walsh era, como Büchner, un contrabandista de la literatura. Büchner era un comunista precoz; Walsh, un revolucionario latinoamericano consecuente y sin prisa. Ernst Jünger (el Borges alemán [o Borges, el Jünger argentino]) ha sido denominado no sin cierta ternura en un seminario cumbre de Berlín *un fascista noble de frialdad proporcionada*, donde el calificativo de fascista no fue pensado en peyorativo sino como categoría de pensamiento. Tal vez para evitar confusiones, el sociólogo Oskar Negt se apresuró a corregir aquel título por el de un *antidemócrata constitucional*. De cualquier manera, Jünger (el Borges alemán) ha construido los fuertes pilares del edificio teórico de la revolución conservadora. Un pionero. ¿Walsh, el anti-Borges? Tal vez una definición excesivamente ampulosa, un poco para asustar al descuidado. O más bien una búsqueda desesperada de congruencia entre los conceptos de moral, estética y política. Walsh es siempre joven, impetuoso. Vuelo y profundidad. En su conversación con el lector pobre de novelas policiales hay genio, tragedia, misterio, ansia. (¿Qué es literatura, acaso?)

Nunca le van a perdonar a Walsh eso: que ha quedado siempre joven. Se les escapa de los moldes y las escuelas. Supo ver y desnudó a toda la sociedad argentina cuando dejó de jugar al ajedrez y se asomó a ver qué pasaba. Así nació *Operación Masacre*. En esas pocas páginas está toda esa sociedad argentina que no dejó de gobernar nunca. Están los uniformados pero también la justicia, en esos personajes próceres del derecho: Sebastián Soler, Alconada Aramburú, Amílcar Mercader. Que van y vienen y cambian de nombre pero no de rostro y están en todas las épocas, desde 1810.

Operación Masacre es el gran grito de alerta. Nadie como Walsh supo describir a los verdaderos fundadores de la gran masacre que vendría después. El teniente coronel Fernández Suárez no es nada más que la reencarnación del otro teniente coronel Héctor Benigno Varela, fusilador de las peonadas patagónicas, y el predecesor contemporáneo de esas figuras casi inverosímiles en su crueldad y su brutal soberbia: Menéndez, Massera, Camps. El método de Fernández Suárez es el mismo: la bravata, el golpe, la intimidación, la tortura, el robo de las pertenencias, el asesinato. Walsh pone una a una las pruebas sobre la mesa. Los Aramburu, Rojas, Manrique Quaranta recurren a los civiles. Los civiles encuentran siempre la solución. El discurso de Aguirre Lanari –hombre de todas las dictaduras y de nuestras pobres democracias– en La Plata, lo dice todo. El asesino será aplaudido. Walsh no se queja: demuestra. Cuando uno lee *Operación Masacre* puede entender muy bien el porqué de la reacción de la juventud en los sesenta y setenta. Ahí está la raíz de la violencia. Había que ser muy pequeño, como joven, para no sentir vergüenza. Vendrá el golpismo como profesión, con aquellos protagonistas dignos de sainetes y novelones de principios de siglo, como los Toranzo Montero, Sánchez de Bustamante, López Aufranc. Y después de ellos aparecerá un Aramburu franquista: el triste Onganía con su general Fonseca, aquél de los bastones largos. Todo esto y mucho más. Ése era el ejemplo de democracia que se daba a nuestra juventud. Se sembró violencia. Y sus obispos representativos fueron generales y almirantes de gestos mesurados, respaldados por intelectuales afincados en la aristocracia de la cultura y políticos ansiosos asomados a la puerta de los cuarteles, mientras se apaleaba y se metía picana al vulgo, a los plebeyos. No había más censura para las clases lectoras pero se metía bala en los basurales. Un pueblo, de la mano de la democracia peronista a la nueva década infame de los cincuenta y sesenta; la primera, de trece años; la segunda, de dieciocho. *Pero lo que más aflige es la ofensa que el hombre lleva adentro*, le basta escribir a Walsh.

Y más adelante: *Entonces estamos todos avergonzados.* Ahí le está dictando su conciencia, él se limita a teclear. *Él tampoco es un héroe de película sino solamente un hombre que se anima*; sí, al hablar de otro, Walsh se está describiendo a sí mismo. Y toma contacto con los que van a ser sus personajes: *He hablado con sobrevivientes, viudas, huérfanos, conspiradores, asilados, prófugos, delatores presuntos, héroes anónimos.* Walsh, como Arlt, no sublimiza a la gente de pueblo. Para Walsh es como es y en tres líneas la retrata al hablarnos de un vecino, don Pedro: *Sus ideas son enteramente comunes, las ideas de la gente del pueblo; por lo general acertadas con respecto a las cosas concretas y tangibles, nebulosas o arbitrarias en otros terrenos.* Walsh no se hace ilusiones, los toma como son, pero no por eso hay que fusilarlos ni picanearlos. Los describe como Arlt pinta en aguafuerte el fusilamiento de Di Giovanni, cuando ve morir a un hombre, no al más perseguido de la sociedad. No hay adjetivos ni metáforas. Es un hombre que muere. Un hombre más que muere: el protagonista verdadero es toda la sociedad lasciva y soplona que lo fusila.

Operación Masacre es el prólogo de la tragedia que vendrá después. Aramburu y Rojas serán el prólogo de Videla y Massera. Rodolfo Walsh se convertirá de testigo en protagonista. Será asesinado a balazos, como sus personajes de José

León Suárez. Nuestra sociedad aplaude frenética a nuestros intelectuales que cumplen ochenta años y nos han ayudado tanto a tener siempre prestos el punto final y la obediencia debida.

Rodolfo Walsh no existe. Es sólo un personaje de ficción. El mejor personaje de la literatura argentina. Apenas un detective de una novela policial para pobres. Que no va a morir nunca.

A Enriqueta Muñiz

Agrega el declarante que la comisión encomendada era terriblemente ingrata para el que habla, pues salía de todas las funciones específicas de la policía.

COMISARIO INSPECTOR
RODOLFO RODRÍGUEZ MORENO

PRÓLOGO

La primera noticia sobre los fusilamientos clandestinos de junio de 1956 me llegó en forma casual, a fines de ese año, en un café de La Plata donde se jugaba al ajedrez, se hablaba más de Keres o Nimzovitch que de Aramburu y Rojas, y la única maniobra militar que gozaba de algún renombre era el ataque a la bayoneta de Schlechter en la apertura siciliana.

En ese mismo lugar, seis meses antes, nos había sorprendido una medianoche el cercano tiroteo con que empezó el asalto al comando de la segunda división y al departamento de policía, en la fracasada revolución de Valle. Recuerdo cómo salimos en tropel, los jugadores de ajedrez, los jugadores de codillo y los parroquianos ocasionales, para ver qué festejo era ése, y cómo a medida que nos acercábamos a la plaza San Martín nos íbamos poniendo más serios y éramos cada vez menos, y al fin cuando crucé la plaza, me vi solo, y cuando entré a la estación de ómnibus ya fuimos de nuevo unos cuantos, inclusive un negrito con uniforme de vigilante que se había parapetado detrás de unas gomas y decía que, revolución o no, a él no le iban a quitar el arma, que era un notable Mauser del año 1901.

Recuerdo que después volví a encontrarme solo, en la oscurecida calle 54, donde tres cuadras más adelante debía estar mi casa, a la que quería llegar y finalmente llegué dos horas más tarde, entre el aroma de los tilos que siempre me ponía nervioso, y esa noche más que otras. Recuerdo la incoercible autonomía de mis piernas, la preferencia que, en cada bocacalle, demostraban por la estación de ómnibus, a la que volvieron por su cuenta dos y tres veces, pero cada vez de más lejos, hasta que la última no tuvieron necesidad de volver porque habíamos cruzado la línea de fuego y estábamos en mi casa. Mi casa era peor que el café y peor que la estación de ómnibus, porque había soldados en las azoteas y en la cocina y en los dormitorios, pero principalmente en el baño, y desde entonces he tomado aversión a las casas que están frente a un cuartel, un comando o un departamento de policía.

Tampoco olvido que, pegado a la persiana, oí morir a un conscripto en la calle y ese hombre no dijo: "Viva la patria" sino que dijo: "No me dejen solo, hijos de puta".

Después no quiero recordar más, ni la voz del locutor en la madrugada anunciando que dieciocho civiles han sido ejecutados en Lanús, ni la ola de sangre que anega al país hasta la muerte de Valle. Tengo demasiado para una sola noche. Valle no me interesa. Perón no me interesa, la revolución no me interesa. ¿Puedo volver al ajedrez?

Puedo. Al ajedrez y a la literatura fantástica que leo, a los cuentos policiales que escribo, a la novela "seria" que planeo para dentro de algunos años, y a otras cosas que hago para ganarme la vida y que llamo periodismo, aunque no es periodismo. La violencia me ha salpicado las paredes, en las ventanas hay agujeros de balas, he visto un coche agujereado y adentro un hombre con los sesos al aire, pero es solamente el azar lo que me ha puesto eso ante los ojos. Pudo ocurrir a cien kilómetros, pudo ocurrir cuando yo no estaba.

Seis meses más tarde, una noche asfixiante de verano, frente a un vaso de cerveza, un hombre me dice:

—Hay un fusilado que vive.

No sé qué es lo que consigue atraerme en esa historia difusa, lejana, erizada de improbabilidades. No sé por qué pido hablar con ese hombre, por qué estoy hablando con Juan Carlos Livraga.

Pero después sé. Miro esa cara, el agujero en la mejilla, el agujero más grande en la garganta, la boca quebrada y los ojos opacos donde se ha quedado flotando una sombra de muerte. Me siento insultado, como me sentí sin saberlo cuando oí aquel grito desgarrador detrás de la persiana.

Livraga me cuenta su historia increíble; la creo en el acto.

Así nace aquella investigación, este libro. La larga noche del 9 de junio vuelve sobre mí, por segunda vez me saca de "las suaves, tranquilas estaciones". Ahora, durante casi un año no pensaré en otra cosa, abandonaré mi casa y mi trabajo, me llamaré Francisco Freyre, tendré una cédula falsa con ese nombre, un amigo me prestará una casa en el Tigre, durante dos meses viviré en un helado rancho de Merlo, llevaré conmigo un revólver, y a cada momento las figuras del drama volverán obsesivamente: Livraga bañado en sangre caminando por aquel interminable callejón por donde salió de la muerte, y el otro que se salvó con él disparando por el campo entre las balas, y los que se salvaron sin que él supiera, y los que no se salvaron.

Porque lo que sabe Livraga es que eran unos cuantos y los llevaron a fusilar, que eran como diez y los llevaron, y que él y Giunta estaban vivos. Ésa es la historia que le oigo repetir ante el juez, una mañana en que soy el primo de Livraga y por eso puedo entrar en el despacho del juez, donde todo respira discreción y escepticismo, donde el relato suena un poco más absurdo, un grado más tropical, y veo que el juez duda, hasta que la voz de Livraga trepa esa ardua colina detrás de la cual sólo queda el llanto, y hace ademán de desnudarse para que le vean el otro balazo. Entonces estamos todos avergonzados, me parece que el juez se conmueve y a mí vuelve a conmoverme la desgracia de mi primo.

Ésa es la historia que escribo en caliente y de un tirón, para que no me ganen de mano, pero que después se me va arrugando día a día en un bolsillo porque la paseo por todo Buenos Aires y nadie me la quiere publicar, y casi ni enterarse. Es que uno llega a creer en las novelas policiales que ha leído o escrito, y piensa que una historia así, con un muerto que habla, se la van a pelear en las redacciones, piensa que está corriendo una carrera contra el tiempo, que en cualquier momento un diario grande va a mandar una docena de reporteros y fotógrafos como en las películas. En cambio se encuentra con un multitudinario esquive de bulto.

Es cosa de reírse, a doce años de distancia porque se pueden revisar las colecciones de los diarios, y esta historia no existió ni existe.

Así que ambulo por suburbios cada vez más remotos del periodismo, hasta que al fin recalo en un sótano de Leandro Alem donde se hace una hojita gremial, y encuentro un hombre que se anima. Temblando y sudando, porque él tampoco es un héroe de película, sino simplemente un hombre que se anima, y eso es más que un héroe de película. Y la historia sale, es un tremolar de hojitas amarillas en los kioscos, sale sin firma, mal diagramada, con los títulos cambiados, pero sale. La miro con cariño mientras se esfuma en diez millares de manos anónimas.

Pero he tenido más suerte todavía. Desde el principio está conmigo una muchacha que es periodista, se llama Enriqueta Muñiz, se juega entera. Es difícil hacerle justicia en unas pocas líneas. Simplemente quiero decir que en algún lugar de este libro escribo "hice", "fui", "descubrí", debe entenderse "hicimos", "fuimos", "descubrimos". Algunas cosas importantes las consiguió ella sola, como los testimonios de los exiliados Troxler, Benavídez, Gavino. En esa época el mundo no se me presentaba como una serie ordenada de garantías y seguridades, sino más bien como todo lo contrario. En Enriqueta Muñiz encontré esa seguridad, valor, inteligencia que me parecían tan rarificados a mi alrededor.

Así que una tarde tomamos el tren a José León Suárez, llevamos una cámara y un planito a lápiz que nos ha hecho Livraga, un minucioso plano de colectivero con las rutas y los pasos a nivel, una arboleda marcada y una (x), que es donde fue la cosa. Caminamos como ocho cuadras por un camino pavimentado, en el atardecer, divisamos esa alta y oscura hilera de eucaliptos que al ejecutor Rodríguez Moreno le pareció "un lugar adecuado al efecto", o sea al efecto de tronarlos, y nos encontramos frente a un mar de latas y espejismos. No es el menor de esos espejismos la idea de que un lugar así no puede estar tan tranquilo, tan silencioso y olvidado bajo el sol que se va a poner, sin que nadie vigile la historia prisionera en la basura cortada por la falsa marea de metales muertos que brillan reflexivamente. Pero Enriqueta dice "Aquí fue" y se sienta en la tierra con naturalidad para que le saque una foto de pic-nic, porque en ese momento pasa por el camino un hombre alto y sombrío con un perro grande y sombrío. No sé por qué uno ve esas cosas. Pero aquí fue, y el relato de Livraga corre ahora con más fuerza, aquí el camino, allá la zanja y por todas partes el basural y la noche.

Al día siguiente vamos a ver al otro que se salvó, Miguel Ángel Giunta, que nos recibe con un portazo en las narices, no nos cree cuando le anunciamos que somos periodistas, nos pide credenciales que no tenemos, y no sé qué le decimos, a través de la mirilla, qué promesa de silencio, qué clave oculta, para que vaya abriendo la puerta de a poco, y vaya saliendo, cosa que le lleva como media hora, y hable, que le lleva mucho más.

Es matador escuchar a Giunta, porque uno tiene la sensación de estar viendo una película que, desde que se rodó aquella noche, gira y gira dentro de su cabeza, sin poder parar nunca. Están todos los detallecitos, las caras, los focos, el campo, los menudos ruidos, el frío y el calor, la escapada entre las latas, y el olor a pólvora y a pánico, y uno piensa que cuando termine va a empezar de nuevo, como es seguro que empieza dentro de su cabeza ese continuado eterno, "Así me fusilaron". Pero lo que más aflige es la ofensa que el hombre lleva adentro, cómo está lastimado por ese error que cometieron con él, que es un hombre decente y ni siquiera fue peronista, "y todo el mundo le puede decir quién soy yo". Aunque eso ya no es seguro, porque hay dos Giuntas, éste que habla torrencialmente mientras se pasa la gran película, y otro que a veces se distrae y consigue sonreír y hacer un chiste como antes.

Parece que aquí va terminar el caso, porque no hay más que contar. Dos sobrevivientes, y los demás están muertos. Uno puede publicar el reportaje a Giunta y volver a aquella partida que dejó suspendida en el café hace un mes. Pero no termina. A último momento Giunta se acuerda de una creencia que él tiene, no de algo que sabe, sino de algo que ha imaginado o que oyó murmurar, y es que hay un tercer hombre que se salvó.

Entretanto la gran divinidad de la picana y sus metralletas empieza a tronar desde La Plata. La hojita del reportaje flota en los pasillos de la Jefatura de Policía, y el teniente coronel Fernández Suárez quiere saber qué bochinche es ése. El reportaje no estaba firmado, pero al pie de los originales figuraban mis iniciales. En el diarito trabajaba un periodista con las mismas iniciales, aunque a él le tocaron en otro orden: J. W. R. Una madrugada se despierta para contemplar una interesante concentración de fusiles y otros implementos silogísticos, y su espíritu experimenta esa gran emoción previa a una verdad por revelarse. Lo sacan en calzoncillos y lo trasladan en un vuelo a La Plata y a la Jefatura, lo sientan en un sillón y enfrente está sentado el teniente coronel, que le dice, "Y ahora por favor, hágame un reportaje a mí". El periodista aclara que no es a él a quien corresponden esos honores, mientras por lo bajo se acuerda de mi madre.

La rueda sigue girando, hay que ir por esos andurriales en busca del tercer hombre, Horacio di Chiano, que se ha vuelto lombriz y vive bajo tierra. Parece que ya nos conocen en muchas partes, los chicos por lo menos nos siguen, y un día una nena nos para en la calle.

—El señor que ustedes buscan —nos dice—, está en su casa. Les van a decir que no está, pero está.

—¿Y vos sabés por qué venimos?

—Sí, yo sé todo.

Bueno, Casandra.

Nos dicen que no está, pero está, y hay que ir venciendo las barreras protectoras, las cautelosas deidades que custodian a un enterrado vivo, esta pared, esta cara que niega y desconfía. Se pasa del sol de la calle a la sombra del porch, se pide un vaso de agua y se está adentro, en la oscuridad, se pronuncian palabras-ganzúa, hasta que la más oxidada del manojo funciona, y don Horacio di Chiano sube la escalera tomado de la mano de su mujer, que lo trae como un chico.

Así que son tres.

Al día siguiente llega al periódico una carta anónima y dice que "lograron fugar: Livraga, Giunta y el ex suboficial Gavino".

Así que son cuatro. Y Gavino, dice la carta, "pudo meterse en la embajada de Bolivia y asilarse a aquel país".

En la embajada de Bolivia no encuentro pues a Gavino, pero encuentro a su amigo Torres, que sonríe, cuenta con los dedos, me dice: "Le faltan dos", y me habla de Troxler y Benavídez.

Así que son seis.

Y ya que estamos, ¿no serán siete? Puede ser, me dice Torres, porque había un sargento, con un apellido muy común, algo así, como García o Rodríguez, y nadie sabe qué ha sido de él.

A los dos o tres días vuelvo a ver a Torres y le disparo a quemarropa:

—Rogelio Díaz.

Se le ilumina la cara.

—¿Cómo hizo?

Ya no recuerdo cómo hice. Pero son siete.

Entonces puedo sentarme, porque ya he hablado con sobrevivientes, viudas, huérfanos, conspiradores, asilados, prófugos, delatores presuntos, héroes anónimos. En el mes de mayo, tengo escrita la mitad de este libro. Otra vez el paseo en busca de alguien que lo publique. Por esa época los hermanos Jacovella han sacado una revista. Hablo con Bruno, después con Tulio. Tulio Jacovella lee el manuscrito, y se ríe, no del manuscrito, sino del lío en que se va a meter, y se mete.

Lo demás es el relato que sigue. Se publicó en "Mayoría", de mayo a julio de 1957. Después hubo apéndices, corolarios, desmentidas y réplicas, que prolongaron esa campaña hasta abril de 1958. Los he suprimido, así como parte de la evidencia que usé entonces y que reemplazo aquí por otra más categórica. Frente a esta nueva evidencia, creo que la polémica queda descartada.

Agradecimientos: al doctor Jorge Doglia, ex jefe de la división judicial de la policía de la provincia, exonerado por sus denuncias sobre este caso; al doctor Máximo von Kotsch, abogado de Juan C. Livraga y Miguel Giunta; a Leónidas Barletta, director del periódico "Propósitos", donde se publicó la denuncia inicial de Livraga; al doctor Cerruti Costa, director del desaparecido periódico "Revolución Nacional", donde aparecieron los primeros reportajes sobre este caso; a Bruno y Tulio Jacovella; al doctor Marcelo Sánchez Sorondo, que publicó la primera edición en libro de este relato; a Edmundo A. Suárez, exonerado de Radio del Estado por darme una fotocopia del libro de locutores de esa emisora, que probaba la hora exacta en que se promulgó la ley marcial; al ex terrorista llamado "Marcelo", que se arriesgó a traerme información, y poco después fue atrozmente picaneado; al informante anónimo que firmaba "Atilas"; a la anónima Casandra, que sabía todo; a Horacio Maniglia, que me dio albergue; a los familiares de las víctimas.

Primera Parte

LAS PERSONAS

1. CARRANZA

Nicolás Carranza no era un hombre feliz, esa noche del 9 de junio de 1956. Al amparo de las sombras acababa de entrar en su casa, y es posible que algo lo mordiera por dentro. Nunca lo sabremos del todo. Muchos pensamientos duros el hombre se lleva a la tumba, y en la tumba de Nicolás Carranza ya está reseca la tierra.

Por un momento, sin embargo, pudo olvidar sus preocupaciones. Tras el azorado silencio inicial, un coro de voces chillonas se alzó para recibirlo. Seis hijos tenía Nicolás Carranza. Los más pequeños se habrán prendido a sus rodillas. La mayor, Elena, habrá puesto la cabeza al alcance de la mano del padre. La ínfima Julia Renée —cuarenta días apenas— dormitaba en su cuna.

Su compañera, Berta Figueroa, alzó los ojos de la máquina de coser. Le sonrió con mezcla de pena y alegría. Siempre era igual. Siempre llegaba así su hombre: huido, nocturno, fugaz. A veces se quedaba una noche, después desaparecía las semanas. Por ahí le hacía llegar un mensaje: estaba en casa de tal amigo. Y entonces era ella quien iba a su encuentro, dejando los chicos a alguna vecina, y pasaba con él unas horas transidas de temor, de zozobra, de la amargura de tener que dejarlo y esperar el lento paso del tiempo sin noticias suyas.

Era peronista Nicolás Carranza. Y estaba prófugo.

Por eso, cuando en furtivos regresos como éste algún chico del barrio le gritaba al encontrarlo: "¡Adiós, don Carranza!", él... apresuraba el paso y no contestaba.

—¡Eh, don Carranza! —lo seguía la curiosidad.

Pero don Carranza —silueta baja y maciza en la noche— se alejaba rápidamente por la calle de tierra, levantando hasta los ojos las solapas del sobretodo.

Y ahora estaba sentado en el sillón del comedor, hamacando en las rodillas a Berta Josefa, de dos años, y a Carlos Alberto, de tres, y acaso a Juan Nicolás, de cuatro —toda una escalera de pibes tenía, don Carranza—, hamacándolos e imitando el fragor y el silbato de los trenes que manejaban hombres como él, gente de esa barriada ferroviaria.

Después conversó con la preferida, Elena, de once años —alta y espigada para su edad, grandes ojos pardos—, le contó algo de sus andanzas mezclado con algo de fábula risueña, y la interrogó con preocupación, con miedo, con ternura, porque, la verdad, se le hacía un nudo en el corazón cada vez que la miraba, desde que estuvo presa.

Presa durante varias horas, aunque parezca cuento, la tuvieron en Frías (Santiago del Estero) el 26 de enero de 1956. El padre la había dejado allí el 25 con familiares de la madre, aprovechando uno de sus viajes regulares en la línea al Norte del Belgrano, donde trabajaba como camarero, y había seguido de largo. En Simoca, provincia de Tucumán, lo detuvieron por una denuncia de distribuir panfletos que nunca llegó a probarse.

A las ocho de la mañana siguiente la sacaron a Elena de la casa de sus parientes, la llevaron sola a la comisaría y la interrogaron durante cuatro horas. ¿Llevaba panfletos su padre? ¿Era peronista su padre? ¿Era un delincuente su padre?

Se enloqueció don Carranza cuando supo la noticia.

—A *mí*, que me hagan cualquier cosa..Pero a una criatura...

Rugía y sollozaba.

Se les disparó en Tucumán.

Y seguramente desde entonces asomó un brillo peligroso en la mirada de este hombre de rostro firme y despejado, que antes era de ánimo alegre, aficionado a las diversiones y amigo preferido de todos los chicos del barrio, propios y ajenos.

Cenaron todos juntos esta noche del 9 de junio en esa casa del barrio obrero de Boulogne. Después acostaron los chicos y quedaron solos, él y Berta.

Ella le habló de sus penas, de sus preocupaciones. ¿El ferrocarril no les quitaría la casa, ahora que él estaba cesante y prófugo? Era una buena casa, de material, con flores en el jardín, y allí entraban todos, hasta un par de muchachas fabriqueras que había tomado como pensionistas para ayudarse. ¿Con qué iban a vivir ella y los chicos si se la quitaban?

Le habló de sus temores. Siempre ese temor de que lo agarraran una noche cualquiera y lo golpearan en cualquier comisara hasta dejarlo idiota. Y le repitió el eterno ruego:

—Entregate. Si te entregás, a lo mejor no te pegan. Y de la cárcel se sale, Nicolás...

Él no quería. Se refugiaba en afirmaciones duras, secas, definitivas:

—No he robado. No he matado. No soy un delincuente.

La pequeña radio, sobre la repisa del aparador, transmitía una música popular. Tras un largo silencio Nicolás Carranza se levantó, descolgó el sobretodo de la percha y lentamente se lo puso.

Ella volvió a mirarlo con expresión resignada.

—¿Dónde vas?

—Tengo que hacer. A lo mejor vuelvo mañana.

—No dormís acá.

—No. Esta noche no duermo acá.

Entró en el dormitorio y fue besando a todos los chicos, uno por uno: Elena, María Eva, Juan Nicolás, Carlos Alberto, Berta Josefa, Julia Renée. Después se despidió de su mujer.

—Hasta mañana.

Le dio un beso, salió a la vereda y dobló a la izquierda. Cruzó la calle B., apenas unos pasos y se detuvo frente a la casa 32.

Llamó a la puerta.

2. GARIBOTTI

Casa de muchachones bravos y ambiente acaso tempestuoso ésta de los Garibotti, en el Barrio Obrero de Boulogne. El padre, Francisco, era una estampa de hombre: alto, musculoso, cara cuadrada y enérgica, de ojos un poco hostiles, bigote fino que rebasa ampliamente las comisuras de los labios.

Hermosa mujer también la madre, aunque de rasgos duros y plebeyos. Alta, resuelta, de boca algo desdeñosa y ojos que no sonríen.

Los hijos también son seis, como los de Carranza, pero ahí termina la semejanza. Varones, los cinco mayores, desde Juan Carlos que va a cumplir dieciocho, hasta Norberto, que tiene once.

Delia Beatriz, de nueve, mitiga un poco ese ambiente cerradamente varonil. Morena, de flequillo, ojos risueños, el padre se ablanda frente a ella. Una foto en una vitrina la muestra de guardapolvo blanco, junto al pizarrón escolar.

Toda la familia está representada en las paredes. Pegadas a una gran cartulina y dentro de un marco amarillean remotas instantáneas de Francisco y Florinda —son jóvenes y se ríen en un parque—, fotos de carnet del padre y de los chicos y hasta algunos rostros fugaces de parientes o amigos. También han estado aquí, como en lo de Carranza, los infaltables "retrateros" y han dejado, tras un doble marco "bombé", una profusión de azules y dorados que pretenden representar a dos de los muchachos, no adivinamos cuáles.

La pasión decorativa o recordatoria culmina en la prevista litografía de Gardel, recortado en negro, el sombrero casi tapándole la cara, el pie apoyado en una silla, pulsando la guitarra.

Pero es una casa limpia, sólida, discretamente amoblada, una casa donde puede vivir bien un obrero. Y "la empresa" les cobra menos de cien pesos de alquiler.

De ahí tal vez que Francisco Garibotti no quiera meterse en líos. Sabe que las cosas andan mal en el gremio —interventores militares y compañeros presos—, pero todo eso pasará algún día. Hay que tener paciencia y esperar.

Treinta y ocho años tiene Garibotti, y dieciséis de servicio en el Ferrocarril Belgrano. Ahora trabaja en la línea local.

Esa tarde ha dejado el servicio alrededor de las cinco y se ha venido directamente a casa.

De los hijos varones, a quien prefiere es tal vez al segundo. Se llama como él: Francisco, con el agregado de Osmar. Tiene dieciséis años este muchacho de mirada seria, que también está por entrar en el ferrocarril.

Hay verdadera camaradería entre ambos. Al padre le gusta tocar la guitarra y el muchacho canta. Es lo que hacen esa tarde.

Oscurece pronto estos días de junio, en pleno invierno.

Cuando quieren acordar, ya es de noche. La madre pone la mesa para la cena. En la cocina crepita una sartén.

Ya casi ha terminado de cenar Francisco Garibotti —un bife con huevos fritos comió esa noche— cuando llaman a la puerta.

Es don Carranza.

¿Qué viene a hacer Nicolás Carranza?

—Vino a sacármelo. Para que me lo devolvieran muerto —recordará Florinda Allende con rencor en la voz.

Hablan un rato los dos hombres. Florinda se ha retirado a la cocina. Presiente que al marido le ha entrado la comezón de salir esta noche de sábado, y ella va a pelear su derecho, pero en su dominio, sin la presencia del vecino.

No tarda en entrar Francisco.

—Tengo que salir —dice, sin mirarla.

—Íbamos al cine —le recuerda ella.

—Sí, es cierto. A lo mejor tenemos tiempo de ir más tarde.

—Habías quedado en salir conmigo.

—Vuelvo en seguida. Hago una diligencia y vuelvo.

—No sé qué diligencia tendrás que hacer.

—Después te explico. La verdad —aclara anticipándose al reproche—, a mí también me tiene un poco cansado éste... Con sus cosas ...

—No parece.

—Mirá, es la última vez que le llevo el apunte. Esperame un rato.

Y como para reafirmar que sale apenas por un momento, que tiene toda la intención de volver lo antes posible, grita ya desde la puerta mientras termina de ponerse el sobretodo:

—Si llega Vivas, decile que me espere. Que voy a hacer una diligencia y vuelvo.

Salen los dos amigos. Caminan varias cuadras por la larga calle Guayaquil, doblan a la derecha, rumbo a la estación.

Allí toman el primer local que va a Florida. Son apenas unos minutos de tren.

No hay testigos de lo que hablan. Sólo podemos formular conjeturas. Es posible que Garibotti vuelva a repetir a su amigo el consejo de Berta Figueroa: que se entregue. Es posible que Carranza a su vez quiera hacerle algún encargo para el caso de que él llegue a faltar de su casa. Quizá esté enterado del motín que se acerca y se lo mencione. O le diga simplemente:

—Vamos a casa de un amigo a escuchar la radio. Van a pasar una noticia...

También caben explicaciones más inocentes. Una partida de naipes o la pelea de Lausse que se va a transmitir luego por radio. Algo hubo de todo eso. Lo indudable es que Garibotti ha salido de mala gana y con el propósito de volver pronto. Si después no lo hace es porque han logrado conquistar su curiosidad, o su interés, o su inercia. No lleva armas encima y en ningún momento las tendrá en sus manos.

También Carranza va desarmado. Se dejará arrestar sin resistencia. Se dejará matar como un chico, sin un solo movimiento de rebeldía. Pidiendo inútilmente clemencia hasta el balazo final.

Bajan en Florida. Doblan a la derecha y cruzan las vías. Caminan seis cuadras por la calle Hipólito Yrigoyen. Atraviesan Franklin. Se detienen —Carranza se detiene— ante una finca con dos portoncitos de madera pintados de celeste que dan a un mismo jardín.

Entran por el de la derecha. Se internan por un largo pasillo. Llaman a una puerta.

De Garibotti no volveremos a tener referencias ciertas. Para que alguna recojamos de Carranza antes del silencio definitivo, tendrán que pasar muchas horas.

Y muchas cosas incomprensibles.

3. DON HORACIO

Florida, sobre el F. C. Belgrano, está a 24 minutos de Retiro. No es lo mejor del partido de Vicente López, pero tampoco es lo peor. El municipio regatea el agua y las obras sanitarias, hay baches en los pavimentos, faltan letreros indicadores en las esquinas, pero el pueblo vive a pesar de todo.

El barrio en que van a ocurrir tantas cosas imprevistas está a unas seis cuadras de la estación, yendo al oeste. Ofrece los violentos contrastes de las zonas en desarrollo, donde confluyen lo residencial y lo escuálido, el chalet recién terminado junto al baldío de yuyos y de latas.

El habitante medio es un hombre de treinta a cuarenta años que tiene su casa propia, con un jardín que cultiva en sus momentos de ocio, y que aún no ha terminado de pagar el crédito bancario que le permitió adquirirla. Vive con una familia no muy numerosa y trabaja en Buenos Aires como empleado de comercio o como obrero especializado. Se lleva bien con los vecinos y propone o acepta iniciativas para el bien común. Practica deportes —por lo general el fútbol—, conversa los temas habituales de la política, y bajo cualquier gobierno protesta sin exaltarse contra el alza de la vida y los transportes imposibles.

Sobre este esquema se da una gama no muy amplia de variaciones. La vida es tranquila, sin altibajos. Aquí, en realidad, nunca ocurre nada.

En invierno las calles quedan semidesiertas a hora temprana. Las esquinas están mal iluminadas y hay que cruzarlas con precaución para no enfangarse en los charcos provocados por la falta de desagües. Donde hay un puentecito o una hilera de piedras para facilitar el cruce, es obra de los vecinos. A veces el agua oscura llega de un cordón a otro, y más que verse se adivina por el reflejo de alguna estrella o de los macilentos faroles que languidecen en los porches hasta altas horas. Sólo en la avenida San Martín se nota algún movimiento: un colectivo que pasa, un letrero de neón, el frío resplandor celeste del ventanal de un bar.

La casa donde han entrado Carranza y Garibotti, donde se desarrollará el primer acto del drama y a la que volverá por último un fantasmal testigo, tiene dos departamentos: uno al frente y otro al fondo. Para llegar a éste, hay que recorrer un largo pasillo, limitado a la derecha por una pared medianera y a la izquierda por un alto cerco de ligustrina. Es tan angosto el corredor, en cuyo extremo se divisa una puerta metálica de color verde, que sólo se puede caminar en fila india. Conviene retener el detalle; tiene cierta importancia.

El departamento del fondo está alquilado a un hombre sobre quien volveremos a último momento. En el del frente vive con su familia el dueño de toda la finca, don Horacio di Chiano.

Don Horacio es un hombre de pequeña estatura, moreno, de bigotes y anteojos. Tiene alrededor de cincuenta años y hace diecisiete que está empleado como electricista en la Ítalo. Sus aspiraciones son simples: jubilarse y luego trabajar un tiempo por cuenta propia, antes de retirarse definitivamente.

Su casa trasciende clase media apacible y satisfecha. Desde los muebles de serie hasta los platos ornamentales que en las paredes reiteran distraídas sentencias —"Errar es humano, perdonar es divino"— o alguna audacia ingenua: "El amor hace pasar el tiempo, el tiempo hace pasar el amor", hasta la imagen devota que ha colocado en un rincón la esposa, o la única hija, Nélida, silenciosa muchacha de veinticuatro años. Lo único notable es cierta abundancia de cortinados, de almohadones, de alfombras. La señora Pilar —cabellos blancos y modales apacibles— es tapicera.

Este sábado es para don Horacio idéntico a otros centenares de sábados. Ha permanecido de guardia en su empleo. Su trabajo consiste en reparar desperfectos en las instalaciones de los abonados. A las cinco de la tarde recibe el último reclamo, procedente de Palermo. Sale hacia allá, arregla la instalación y vuelve a Central. Para entonces ya es de noche. A las 20.45 comunica telefónicamente su salida a la oficina de Balcarce y emprende el regreso a su casa.

Nada hay de nuevo en esta rutina. Es la misma de años y años. Tampoco el mundo es distinto cuando él toma el tren en la estación Retiro del Belgrano. Los diarios de la noche no traen noticias de mayor importancia. En los Estados Unidos han operado al general Einsenhower. En Londres y Washington se comentan las notas de Bulganin sobre el desarme. San Lorenzo derrota a Huracán en un encuentro anticipado del campeonato de fútbol. El general Aramburu realiza uno de sus periódicos viajes, esta vez a Rosario. El interventor federal lo recibe con efusiones líricas: "... ha llegado la hora de trabajar en paz, de fructificar en paz, de soñar en paz y de amar en paz...". El Presidente responde con una frase que al día siguiente va a repetir, pero en circunstancias distintas: "No teman los temerosos. La libertad ha ganado la partida". Más tarde da a los periodistas que lo acompañan paternales consejos sobre la forma de decir la verdad. Nada nuevo, realmente, sucede en el mundo. Lo único de algún interés son los cálculos y comentarios previos a la gran pelea de box que por el título sudamericano se realiza esa noche en el Luna Park.

El arribo de don Horacio a su casa coincide con el de otro vecino, que vive cincuenta metros más lejos, sobre la misma calle Yrigoyen. Es Miguel Ángel Giunta. Se detienen un momento a conversar. No hay real amistad entre ellos —hace menos de un año que se conocen—, pero sí una relación cordial de vecinos. Por la mañana suelen tomar juntos el mismo tren. Don Horacio lo ha invitado más de una vez a entrar en su casa. Giunta no halló hasta ahora la oportunidad de aceptar, pero esta noche se renueva el ofrecimiento:

—¿Por qué no viene a escuchar la pelea después de la cena?

Giunta titubea.

—No le prometo nada. Pero puede ser.

—Traiga a su señora —insiste don Horacio.

En realidad, ése es el motivo por el que vacila Giunta. Esa tarde, al salir, ha dejado a su esposa un poco indispuesta. Si la encuentra mejor, es posible que venga. Quedan en eso los dos hombres. Después cada uno se apresura a entrar en su casa. Ha empezado a apretar el frío. El termómetro marca menos de 4 grados y seguirá bajando.

Son las 21.30. En ese momento, a treinta kilómetros de allí, en Campo de Mayo, un grupo de oficiales y suboficiales al mando de los coroneles Cortínez e Ibazeta incian el trágico levantamiento de junio.

Don Horacio y Giunta lo ignoran. La mayoría del país también lo ignora y seguirá ignorándolo hasta después de medianoche.

Radio del Estado, la voz oficial de la Nación, transmite música de Haydn.

4. GIUNTA

Giunta, o don Lito como lo llaman en el barrio, vuelve de Villa Martelli, donde ha pasado la tarde con los padres.

No ha cumplido treinta años Giunta. Es un hombre alto,

atildado, rubio, de mirada clara. Expansivo, gráfico en los gestos y el lenguaje, tiene una dosis considerable de humor y aun de ironía escéptica. Pero lo que en el acto se desprende de él es una impresión de honradez sólida, de sinceridad. De todos los testigos que sobrevivan al drama, ninguno resultará tan convincente, a ninguno le resultará tan fácil y natural evidenciar su inocencia, mostrarla concreta y casi tangible. Bastará hablar una hora con él, oírle recordar, ver la indignación y el evocado espanto que paulatinamente le brotan de adentro, le asoman a los ojos y hasta le erizan el cabello, para deponer toda incredulidad.

Hace quince años que trabaja Giunta como vendedor en una zapatería de Buenos Aires. Importa señalar dos cualidades menores, recogidas en el oficio. Por un lado, cierta "psicología" práctica que en oportunidades le permite adivinar deseos e intenciones de sus clientes, no siempre fáciles, y por extensión, de otras personas. Luego, una envidiable facultad de fisonomista, adiestrada en el transcurso de los años.

No sospecha —mientras cena en esa casa apacible, adquirida con su esfuerzo, rodeado del afecto de los suyos—, que esas cualidades le ayudarán horas más tarde a salir del trance más amargo de su vida.

5. DÍAZ: DOS INSTANTÁNEAS

Al departamento del fondo, entretanto, van llegando algunas personas. En un momento habrá alrededor de quince hombres jugando a los naipes en torno a dos mesas, escuchando la radio o conversando. Algunos se irán y vendrán otros. En ciertos casos será difícil establecer con precisión la cronología de estos arribos y partidas. Y no sólo la cronología. Hasta la identidad de uno o dos de los protagonistas quedará finalmente borrosa o ignorada.

Sabemos, por ejemplo, que alrededor de las 21 aparece un hombre llamado Rogelio Díaz, pero no sabemos con exactitud quién lo trae ni a qué viene. Sabemos que es un suboficial (sargento sastre, dicen algunos), retirado de la Marina, pero no sabemos por qué se ha —o lo han— retirado. Sabemos que vive muy cerca de allí, en Munro, pero ignoramos si es esa simple proximidad lo que explica su presencia. Sabemos que está casado y tiene dos o tres chicos, pero más tarde nadie podrá indicarnos el paradero exacto de su familia. ¿Está comprometido con el movimiento revolucionario? Puede ser. También puede ser que no.

Lo único preciso, lo único en que coinciden quienes recuerdan haberlo visto, es en su aspecto físico, un hombre corpulento, provinciano, muy moreno, de edad indefinible ("Usted sabe que a los negros es difícil conocerles la edad..."), alegre conversador, que en un momento estará jugando con entusiasmo al chinchón, y en otro momento muy distinto —cuando ya todos temen— roncará apacible y estruendosamente en un banco de la Unidad Regional San Martín, como si no tuviera el más leve peso en su conciencia. En estas dos instantáneas puede resumirse toda la vida de un hombre.*

*Cuando mencioné por primera vez a Díaz en mis notas para "Revolución Nacional" su existencia y supervivencia eran más bien una hipótesis, que afortunadamente pude luego comprobar. La persona que me lo había nombrado, sólo recordaba su apellido, y aun de eso no estaba seguro. Interrogando a un número bastante grande de testigos secundarios, deduje que efectivamente existió un sargento Díaz. Curiosamente, nadie recordaba su nombre de pila y casi todos lo daban por muerto. Hasta que en un semanario encontré una lista de presos en Olmos, donde figuraba un tal "Díaz Rogelio". Mis informantes recordaron entonces que ése —Rogelio— era su nombre de pila. Mientras se publicaba este libro en la revista "Mayoría", recogí los siguientes datos adicionales sobre él. Efectivamente era sargento sastre, santiagueño, estuvo en 1952 en el Batallón 4 de Infantería de Marina (en Dársena Norte), después pasó a la Escuela Naval de Río Santiago.

6. LIZASO

Más nítida, más apremiante, más trágica, aparece la imagen de Carlitos Lizaso. Tiene veintiún años este muchacho alto, delgado, pálido, de carácter retraído y casi tímido. Pertenece a una familia numerosa de Vicente López.

En su casa la política ha sido siempre un tema dominante. Don Pedro Lizaso, el padre, fue radical en una época. Luego simpatiza con el peronismo. En 1947 lo designan comisionado municipal, por poco tiempo. Más tarde se opera en él una evolución adversa. A partir de 1950 está alejado del peronismo y ha de irse alejando cada vez más. Es prácticamente un opositor cuando se produce la revolución de setiembre.

—Teníamos la secreta esperanza de que todo iba a cambiar, de que se conservaría lo bueno que hubiera quedado y se destruiría lo malo —dirá luego un amigo suyo—. Pero después...

Después ya se sabe lo que ocurre. Una ola revanchista sacude al país. Don Pedro Lizaso, envejecido, enfermo y desilusionado, vuelve a ser opositor.

Estos cambios se reflejan en sus hijos varones. En setiembre de 1955, cuando la revolución estremece a todos y los que no combaten están pegados a la radio, escuchando las noticias oficiales y las que se filtran del otro bando —¡singular recuerdo! nadie los fusilará por eso—, alguien le pregunta a Carlos:

—¿Por quién pelearías?

—No sé —responde, desconcertado—. Por nadie.

—Pero si te obligaran, si tuvieras que elegir.

Medita un segundo antes de contestar.

—Creo que por ellos —responde al fin.

Ellos son los revolucionarios.

Desde entonces ha pasado mucha agua bajo el puente. Carlos Lizaso parece haber olvidado semejantes disyuntivas. Lo exterior de su vida es que ha abandonado sus estudios secundarios para ayudar al padre en su oficina de martillero. Trabaja duramente, tiene aptitud para ganar dinero, aspira a una posición y está en camino de lograrla a pesar de su juventud. En sus momentos de descanso, se distrae para jugar al ajedrez. Es un jugador fuerte, que interviene con éxito en algunos torneos juveniles.

No es difícil reconstruir sus movimientos esa tarde del 9 de junio. Primero visita a una hermana. Más tarde de va a casa de su novia, con quien permanece alrededor de una hora. Son más de las nueve cuando se despide y se marcha. Toma un colectivo y baja en Florida. Camina un par de cuadras, se detiene ante la casa de portones celestes, se aventura por el largo corredor...

¿Qué sabe de la revolución que estalla en ese mismo momento? Una vez más la contradicción, la duda. Por una parte, es un muchacho tranquilo, reflexivo. No lleva armas encima ni sabe manejarlas. Se ha exceptuado del servicio militar y nunca ha tenido un simple revólver en sus manos.

Por otra parte, adivinamos su actitud mental ante el proceso político. Un detalle la confirma.

Después que él se marcha, su novia encuentra en su casa un papel escrito con la letra de Carlos:

"Si todo sale bien esta noche...".

Pero todo saldrá mal.

7. ALARMAS Y PRESENTIMIENTOS

Hay un hombre, por lo menos, que parece presentirlo. Una, dos, tres veces pasará por la casa para buscar a Lizaso, para llevárselo, para arrancarlo a la muerte, aunque ese extremo no pase todavía por la mente de nadie. Y será inútil.

Este hombre —que más tarde se volcará al terrorismo y se hará llamar "Marcelo"— representa un curioso papel en los acontecimientos. Es amigo de la familia Lizaso y de otros protagonistas. Por Carlitos siente una paternal solicitud, un cariño que el tiempo y la desgracia tornarán amargo. Este hombre sabe lo que está ocurriendo. De ahí que tema, que quiera llevarse al muchacho. Pero siempre lo encontrará entretenido, animado, conversando, y se dejará disuadir por la repetida promesa:

—Dentro de diez minutos voy...

"Marcelo" no se queda conforme. Antes de marcharse por última vez se dirige al hombre a quien estima responsable de la equívoca situación que parece advertir en el departamento. Lo conoce. Lo lleva aparte y hablan en voz baja.

—¿Sabe algo toda esta gente?

—No. La mayoría no sabe nada.

—¿Y qué hacen aquí?

—Qué sé yo... Van a escuchar la pelea.

—Pero usted —insiste "Marcelo" irritado—, ¿por qué los tiene aquí?

—¿Quiere que los eche? Yo no soy el dueño de casa.

La discusión llega a ser agria. "Marcelo" la corta bruscamente:

—Haga lo que quiera. Pero a ese muchacho —señala con la cabeza a Lizaso, que conversa en un grupo alejado— no me lo lleva a ninguna parte, ¿me oye?

El otro se encoge de hombros.

—Quédese tranquilo. No lo llevo a ninguna parte. Además, ya no hay nada esta noche.

8. GAVINO

"Ya no hay nada esta noche", repite Norberto Gavino para sus adentros. Hace rato que la radio tendría que haber dado *la* noticia. Por un momento piensa que "Marcelo" tiene razón. Pero después se olvida. Si no hay nada, tampoco hay peligro para nadie. Muchos han venido simplemente de visita, gente a quien él ni conoce, sería ridículo decirles: "Váyanse, estoy por hacer una revolución".

Porque no hay duda de que Gavino, aunque a estas horas se encuentre desconectado y no sepa a qué atenerse, *está* en el levantamiento.

Hombre de unos cuarenta años, de estatura mediana pero atlético, suboficial de gendarmería en una época, más tarde vendedor de terrenos, temperamento vivo, precipitado, propenso a la jactancia —y a los peligrosos descuidos que ella acarrea en una existencia como la suya—, Gavino venía conspirando desde bastante tiempo atrás. Y a comienzos de mayo un lamentable episodio lo confirmó en ese camino. Su esposa, completamente ajena a esas actividades, fue encarcelada como rehén. Gavino supo que sólo cuando él se entregase la dejarían en libertad. Y a partir de ese momento, sólo pensó en la revolución.

Estaba prófugo, desde luego, y se creía buscado por autoridades militares y policiales. Con sobrada razón. Todo lo acon'ecido esa noche, la información periodística aparecida en días posteriores y otros indicios lo confirman.* No halló nada mejor para eludir el cerco, que refugiarse en el departamento de su amigo Torres.

Y allí aguardaba ahora, nerviosamente, la noticia que no llegaría a escuchar.

9. EXPLICACIONES EN UNA EMBAJADA

Y así llegamos al personaje que explica gran parte de la tragedia —Torres, el inquilino del departamento del fondo.

Juan Carlos Torres lleva dos o tres vidas distintas.

Para el dueño de casa, por ejemplo, es el simple inquilino, que paga puntual su alquiler y no crea problemas, aunque a veces desaparece unos días y cuando vuelve no dice dónde ha estado. Para el vecindario es un muchacho tranquilo, bastante popular, que acostumbra organizar en su casa "asados" y reuniones a las que asiste gente del barrio y en las que no se habla de política. Para la policía, en la época posterior al levantamiento, es un individuo peligroso y escurridizo, vana e incansablemente buscado...

Yo lo encontré, por fin, muchos meses más tarde, asilado en una embajada latinoamericana, caminando de un lado para otro en su forzoso encierro, fumando y contemplando a través de un ventanal la ciudad tan próxima y tan inaccesible. Volví a verlo varias veces. Alto y flaco, de abundante cabe-

* A mediados de 1958, Gavino me escribió desde Bolivia para manifestar su disconformidad con el breve retrato que trazo de él, y cuya fuente son otros testigos. Asimismo rechaza responsabilidad en la muerte de Lizaso, pero yo nunca le atribuí esa responsabilidad. Parece claro que Lizaso sabía algo de la revolución de Valle, y fue allí por su propia voluntad.

llera negra, nariz aguileña, ojos oscuros y penetrantes, me impresionó aun allí adentro como un hombre decidido, parco y extremadamente cauteloso.

—Yo no tengo por qué mentirle —me dijo—. Cualquier cosa perjudicial que usted me saque, diré que es falsa, que a usted ni lo conozco. Por eso no me importa que publique mi nombre verdadero o no.

Sonrió sin animosidad. Le expliqué que comprendía las reglas del juego.

—A esos muchachos no tenían por qué fusilarlos —prosiguió entonces—. A mí, vaya y pase, porque yo "estaba" y en mi casa secuestraron documentación. Nada más que documentación, no armas como dijeron después. Pero yo me escapé. Y Gavino también se escapó...

Hizo una pausa. Quizá pensaba en los que no se habían escapado. En los que no tenían nada que ver. Le pregunté si se había hablado de la revolución.

—Ni remotamente —dijo—. A los que en realidad estábamos, que éramos Gavino y yo, nos bastaba una mirada para entendernos. Pero ni él ni yo sabíamos si íbamos a actuar o dónde. Esperábamos un contacto que no se produjo. Yo me enteré cuando Gavino me pidió la llave del departamento, porque lo buscaba la policía. Éramos amigos, y se la di. Es posible que algún otro haya venido porque estaba en la onda y quería saber algo más.

Su tono se volvió sombrío.

—La desgracia fue que también cayeron otros muchachos del barrio, que vieron reunión en la casa y entraron a escuchar la pelea o jugar a las cartas, como de costumbre. En mi casa entraba cualquiera, aun sin conocerme. Hasta dos "tiras" llegaron esa noche y nadie se dio cuenta. La verdad es que al mismo Livraga, ése que nombran los diarios, yo no lo conocía ni recuerdo haberlo visto. La primera vez que lo vi fue en foto.

Un interrogante flotaba pesado entre nosotros. Juan Carlos Torres se adelantó a contestarlo.

—No les dijimos nada —explicó pesarosamente— porque la realidad es que hasta ese momento no había nada. Mientras no tuviéramos noticias concretas, era una noche como cualquiera. Yo no podía ponerlos sobre aviso, decirles que se fueran, porque iba a despertar sospechas, y no acostumbro a hablar más de lo necesario.

"Unos minutos más, y cada uno se habría ido a su casa. Entonces no habría ocurrido nada."

Unos minutos más. En este caso, todo girará alrededor de unos minutos más.

10. MARIO

En el número 1812 de la calle Franklin vive Mario Brión. Es un chalet con un jardín, casi en una esquina, a menos de cien metros de la casa fatídica.

Brión tiene treinta y tres años esa tarde del 9 de junio. Es un hombre de estatura mediana, rubio, con una calvicie incipiente, de bigotes. Cierta expresión melancólica se desprende quizá de su rostro ovalado.

Un muchacho serio y trabajador, dicen los vecinos. Una vida común, sin relieves brillantes, sin deslumbres de aventura, reconstruimos nosotros. A los quince años se emplea de oficinista, sin abandonar sus estudios, sigue cursos de inglés, que llegará a hablar con cierta soltura, se recibe de perito mercantil. Parece haberse fijado un plan de vida de etapas precisas y las va cumpliendo. Con sus ahorros compra un terreno, edifica una casa. Sólo entonces decide casarse, con su primera novia. Más tarde les nace un hijo: Daniel Mario.

Del padre, un español que supo ganarse la vida en duros oficios, ha heredado un difuso amor a la lectura. Es una sorpresa encontrar en su biblioteca a Horacio, a Séneca, a Shakespeare, a Unamuno y Baroja, junto a las frías colecciones contables. También hay allí esos libros de inevitable procedencia americana y de títulos diversos, que pueden resolverse en uno —"Cómo triunfar en la vida"—, y ellos indican, por encima de los dudosos resultados prometidos, cuáles eran las aspiraciones de Mario: trabajar, progresar, proteger a su familia, tener amigos, ser estimado.

No le hubiera costado trabajo lograrlo. En la empresa donde estaba se le había ofrecido ya una jefatura de sección. Ganaba bien: ninguna comodidad faltaba en su casa. Suya era cuanta iniciativa útil nacía en el vecindario. Un caminito pavimentado que une la esquina de su casa con la avenida San Martín lo recuerda. Él recolectó el dinero, él reunió a los vecinos para trabajar domingos y feriados.

Mario Brión —dice la gente— es un muchacho alegre, amable con todos, un poco tímido. No fuma ni bebe. Sus únicas diversiones consisten en ir al cine con su esposa, o en jugar al fútbol con sus amigos del barrio.

Esa noche ha cenado tarde, como de costumbre. Después ha salido a comprar el diario. También lo hace siempre. Le gusta leer el diario, en un sillón, mientras escucha algún disco o algún programa de radio.

En el camino se encuentra con un amigo o con un conocido. No sabremos con quién.

—Quieren que vaya a oír la pelea —anuncia a su esposa, Adela, cuando vuelve—. No sé si ir...

Está indeciso. Al fin se resuelve. Después de todo, él también pensaba escucharla.

Da un beso a su hijo Danny —que ya tiene cuatro años— y se despide de su mujer.

—Apenas termine, vuelvo.

No se pone sobretodo a pesar del frío. Sólo lleva una gruesa tricota blanca.

Camina hasta Yrigoyen y se adentra por el largo pasillo. Un testigo de último momento lo verá parado cerca del receptor de radio, sonriente y con las manos en los bolsillos, un poco aislado, un poco ausente de los otros grupos que charlan o juegan a las cartas.

11. "EL FUSILADO QUE VIVE"

El número 1624 de la calle Florencio Varela, en Florida, marca un hermoso chalet de estilo californiano. Podría ser la residencia de un abogado o de un médico. La ha construido con sus manos don Pedro Livraga, hombre silencioso, ya entrado en años, que en su juventud ha sido peón de albañil y que luego, en paulatina maestría del oficio, ha terminado en constructor.

Tres hijos tiene don Pedro. La mayor está casada. Los dos varones, en cambio, viven con él. Uno de éstos es Juan Carlos.

Flaco, de estatura mediana, tiene rasgos regulares, ojos pardo-verdosos, cabello castaño, bigote, le faltan unos días para cumplir veinticuatro años.

Sus ideas son enteramente comunes, las ideas de la gente del pueblo, por lo general acertadas con respecto a las cosas concretas y tangibles, nebulosas o arbitrarias en otros terrenos. Tiene un temperamento reflexivo y hasta calculador.

Pensará mucho las cosas y no dirá lo que no le convenga.

Esto no excluye una curiosidad instintiva, una impaciencia de fondo, no manifiesta en los actos menudos pero sí en la forma en que va tratando de adaptarse al mundo. Ha abandonado sus estudios secundarios al terminar el primer año. Después, durante varios, ha sido oficinista en la Aeronáutica. Ahora trabaja de colectivero. Más tarde, ya "resucitado", acompañará a su padre en trabajos de construcción.

Buen observador es, pero acaso confía demasiado en sí mismo. En el transcurso de la singular aventura que está por sobrevenirle, algunas cosas las captará con extraordinaria precisión y hasta será capaz de trazar diagramas y planos muy exactos. En otras, se equivocará e insistirá terco en el error.

Ante el peligro se mostrará lúcido y sereno. Y pasado el peligro, demostrará un coraje moral que debe señalarse como su principal virtud. Será el único, entre los sobrevivientes o los familiares de las víctimas, que se atreva a presentarse para reclamar justicia.

¿Sabe algo, esa tarde del 9 de junio, de la revolución que estallará después? Ha llegado a su casa antes de terminar su turno de trabajo, y esto podría parecer sospechoso. Pero el caso es que se le ha descompuesto el colectivo que maneja —el número 5 de la línea 10 con recorrido en Vicente López—, y la empresa confirmará ese detalle.

¿Sabe algo? Él lo negará terminantemente. Y añadirá que carece de todo antecedente policial, judicial, gremial o político. Y esa afirmación también será probada y confirmada.

¿Sabe algo a pesar de todo? Son muchos en el Gran Buenos Aires los que están en la onda, aunque no piensen intervenir. Sin embargo, de los numerosos testimonios recogidos, no hay uno solo que indique a Livraga como comprometido o enterado.

Son más de las diez de la noche cuando Juan Carlos sale

de su casa. Dobla a la derecha y luego toma por la avenida San Martín en dirección a Franklin, donde hay un bar que frecuenta. Hace frío y las calles están poco transitadas.

Cierta indecisión lo domina. No sabe si quedarse jugando una partida de billar o si ir a un baile al que ha prometido su asistencia.

La casualidad decide por él. La casualidad que le sale al paso en la persona de su amigo Vicente Rodríguez.

12. "ME VOY A TRABAJAR..."

Es una torre de hombre este Vicente Damián Rodríguez, que tiene 35 años, que carga bolsas en el puerto, que pesado y todo como es juega al fútbol, que guarda algo de infantil en su humanidad gritona y descontenta, que aspira a más de lo que puede, que tiene mala suerte, que terminará mordiendo el pasto de un potrero y pidiendo desesperado que lo maten, que terminen de matarlo, sorbiendo a grandes tragos la muerte que no acaba de inundarlo por los ridículos agujeros que le hacen las balas de los máuseres.

Hubiera querido ser algo en la vida Vicente Rodríguez. Está lleno de grandes ideas, de grandes ademanes, de grandes palabras. Pero la vida es feroz con gente como él. Solamente ganarla será un permanente cuesta arriba. Y perderla, un interminable trámite.

Se ha casado, tiene tres chicos y los quiere, pero es claro, hay que darles de comer y mandarlos al colegio. Y esa casa pobrísima que alquila, rodeada de ese paredón sucio, con ese terreno inculto donde picotean las gallinas, no es lo que él imaginaba. Nada es como él imaginaba.

La sensación de poder que le dan sus músculos vigorosos nunca puede verla cabalmente trasladada al mundo objetivo. En alguna época, es cierto, actúa en su sindicato y hasta llega a delegado, pero luego todo eso se derrumba. Ya no hay sindicato ni hay delegado. Entonces comprende que él es nadie, que el mundo pertenece a los doctores. El signo de su derrota es muy claro. En su barrio hay un club, en el club una biblioteca. Acudirá allí, en busca de esa fuente milagrosa —los libros— de donde parece fluir el poder.

No sabemos si alcanza a leerlos, pero del paso de Rodríguez por la época de canibalismo que vivimos, sólo quedará —aparte de la miseria en que deje a su mujer y sus chicos— una foto opaca con un sello borroso que dice precisamente "Biblioteca".

Rodríguez ha salido de su casa —Yrigoyen 4545— alrededor de las nueve. Y ha salido con mal pie. A su mujer le dice:

—Me voy a trabajar.

¿Es una mentira inocente para encubrir una salida más? ¿Oculta algo más serio, es decir su propósito de intervenir en el movimiento? ¿O realmente va a trabajar? Es cierto que ha transcurrido más de una hora, pero la calle por donde camina conduce a la estación, y allí puede tomar un tren que en veinticinco minutos lo conduzca al puerto, donde podría optar a un turno extraordinario de trabajo.

Será difícil determinarlo. En este caso como en otros. Por un lado, Rodríguez es opositor, peronista. Por otro, es un hombre comunicativo, locuaz, a quien le resulta muy difícil callar algo importante. Y a su mujer, con quien lleva trece años de casados, no le ha dicho nada. Ni siquiera una insinuación. Le ha dicho solamente: "Me voy a trabajar", y se ha despedido en forma normal, sin ningún signo de impaciencia o nerviosidad.

Por otra parte, conviene observar su actitud ulterior. Es de absoluta pasividad cuando lo llevan a la muerte en el carro de asalto. Un sobreviviente que lo conocía bien, observará más tarde:

—Si el Gordo hubiera querido, los desparramaba a trompadas a esos milicos...

Cabe suponer que jamás pensó que lo iban a matar, ni aun a último momento, cuando eso era evidente.

Conversan un momento los dos amigos. Livraga le ha prestado días antes una valija destinada a llevar los equipos del club de fútbol en el que ambos juegan.

—¿Cuándo pasás a buscarla? —pregunta Rodríguez.

—Si querés, vamos ahora.

—De paso, podemos escuchar la pelea.

Son muchos los que hablan de esa pelea. Por el título sudamericano de los medianos van a combatir a las once el campeón Lausse —que acaba de cumplir una campaña triunfal en los Estados Unidos— y el chileno Loayza.

Livraga es aficionado al boxeo y no tiene inconveniente en aceptar el ofrecimiento. Se dirigen pues a la casa de Rodríguez. No sabemos la excusa que éste piensa dar a su mujer, y de todas maneras no tiene importancia, porque no llegará a darla. Se detiene cincuenta metros antes, frente a la finca de portones celestes, observa que hay luz en el departamento del fondo y dice:

—Esperame un momento.

Entra, pero no tarda en volver.

—Podemos escuchar la pelea aquí. Tienen la radio prendida. —Y aclara:— Son unos amigos.

Livraga se encoge de hombros. Tanto le da.

Se internan por el largo pasillo.

13. LAS INCÓGNITAS

¿Hay alguien más en el departamento del fondo? Sin duda están Carranza, Garibotti, Díaz, Lizaso, Gavino, Torres, Brión, Rodríguez y Livraga. "Marcelo" ha estado tres veces y no volverá. Algunos amigos de Gavino han venido y también se han retirado temprano. Sabemos por lo menos de un vecino, conocido de Brión, que como él ha llegado a escuchar la pelea y que a último momento se siente descompuesto, se va, y se salva.

El desfile no termina allí. Alrededor de las once menos cuarto se presentan dos desconocidos que —si no fuera tan trágico lo que va a suceder— plantean una situación de comedia. Torres cree que son amigos de Gavino. Éste, que son amigos de Torres. Sólo más tarde, comprenderán que son pesquisas. Permanecen unos momentos, circulando entre los grupos, explorando la situación. Cuando se hayan alejado, informarán que no hay armas en el local y que la entrada está expedita.

Necesaria precaución. Porque la configuración del terreno es tal, que desde la puerta metálica que da acceso al departamento, un hombre armado con un simple revólver dominaría todo el pasillo y dificultaría durante minutos enteros la entrada de cualquier enemigo potencial. Si el arma fuese una pistola ametralladora, la posición podría mantenerse horas.

Sin embargo cuando llegue la policía —que en ese mismo momento está requisando un colectivo en la parada de Puente Saavedra—, nadie ofrecerá la menor resistencia. No se disparará un solo tiro.

Pero, ¿hay alguien más, aparte de los ya mencionados? Será difícil encontrar a un testigo que recuerde a todos; los que podrían hacerlo están ausentes o muertos. Sólo podemos guiarnos por indicios. Torres, por ejemplo, afirmará que había dos hombres más. Del primero supo que era suboficial del ejército. Del segundo, ni siquiera eso.

Otros testimonios indirectos vuelven a mencionar al suboficial. Y precisan: sargento. Las descripciones son confusas, divergentes. Parece que llegó a último momento... Nadie sabe quién lo trajo... Casi nadie lo conocía... Alguien sin embargo, volverá a verlo, o creerá verlo, horas más tarde, en el momento en que recibe un tiro y se desploma.

¿Y el otro? Ni siquiera sabemos si existió. Ni cómo se llamaba, ni quién era. Ni si está vivo o muerto.

Con respecto a estos dos hombres, nuestra búsqueda ha concluido en un callejón sin salida.

Faltan pocos minutos para las once. La radio está transmitiendo los preliminares de la pelea de box. En el grupo que juega a las cartas hay un silencio cuando el locutor anuncia la presencia en el cuadrado del campeón Lausse y del chileno Loayza.

Al departamento del frente, entretanto, ha llegado Giunta alrededor de las diez y media. La tranquilidad que reina en la casa de don Horacio es perfecta. La señora Pilar conversa unos momentos con ellos antes de retirarse a descansar. Su hija Nélida prepara unos mates para el invitado, mientras don Horacio enciende el receptor.

Si acaso sintoniza un instante Radio del Estado, la voz oficial de la Nación, comprobará que ha terminado de transmitir un concierto de Bach y a las 22.59 inicia otro con Ravel...

A esa hora, en la Comisaría 2ª de Florida, han terminado de concentrarse veinte hombres, para un misterioso procedimiento.

—Algo gordo —piensa el comisario Peña cuando se entera de quién va a conducir a los hombres.

La palabra revolución no ha sido todavía pronunciada. Y

mucho menos por Radio Splendid, que filtra el rumor de multitud en el Luna Park y la voz tensa del locutor Fioravanti, transmitiendo las primeras incidencias del match.

Es un combate corto y violento, que desde la segunda vuelta queda prácticamente definido. En total, dura menos de diez minutos. Al promediar el tercer round, el campeón derriba a Loayza por toda la cuenta.

El dueño de casa y Giunta se miraron con una sonrisa de satisfacción.

Giunta tomaba una copa de ginebra y se disponía a marcharse. Desde el dormitorio, la señora Pilar pidió a su esposo una bolsa de agua caliente. Don Horacio fue a la cocina, llenó la bolsa y regresaba con ella cuando se oyeron violentos golpes a la puerta. Parecían asestados con la culata de una pistola o de un fusil.

En el silencio nocturno resonó el grito:

—¡La policía!

Segunda Parte

LOS HECHOS

14. ¿DÓNDE ESTÁ TANCO?

Tan desconcertado está don Horacio, que no atina a dejar la bolsa. Corre, hace girar la llave en la cerradura, y antes que termine de sacar la cadena, la puerta es impulsada con violencia desde afuera, salta el cerrojo y él se ve impelido, rodeado, desbordado por el tropel de policías y particulares provistos de armas largas y cortas, que en pocos segundos inundan todas las dependencias y cuyas voces no tardarán en oírse en el patio y en el pasillo, que conduce al fondo. Todo sucede con velocidad de relámpago.

Alto, corpulento, moreno, de bigotes, impresionante de autoridad, es el que manda el grupo. En la mano derecha empuña una pistola 45. Habla a gritos, con voz ronca y pastosa que por momentos parece de borracho. Viste pantalones claros y chaquetilla corta, color verde oliva: es el uniforme del Ejército Argentino.

Don Horacio ha retrocedido, espantado. Sólo atina a levantar los brazos, sin soltar todavía la bolsa de agua caliente que ya le quema los dedos. El jefe del grupo se la arranca de un manotazo.

—¿Dónde está Tanco? —grita.

El dueño de casa lo mira sin comprender. Es la primera

vez que oye el nombre del general rebelde, cuya dramática fuga, escapando al paredón, se conocerá días más tarde. El jefe lo hace a un lado de un empellón y se encara con el otro, con Giunta.

Giunta está simplemente petrificado. Ha permanecido en su silla, con la boca abierta, los ojos desmesurados, sin atinar a moverse. El jefe se acerca a él y deliberadamente, delicadamente, le apoya la pistola en la garganta.

—¡No te hagás el piola! —le dice con voz sorda—. ¡Levantá las manos!

Giunta levanta las manos. Y por segunda vez escucha esa pregunta indescifrable, que ha de seguir repitiéndose como una pesadilla. Dónde está Tanco. *¿Dónde está Tanco?*

Su atónito silencio le gana un puñetazo que casi lo voltea de la silla. También ese golpe de izquierda —protegido por la alevosía del arma que esgrime la derecha— volverá a verse. Parece un recurso preferido del hombre que lo usa.

La escena ha sido rápida, electrizante. Igualmente rápida es la secuela, concretada en un crepitar de órdenes:

—¡A ese viejo y a este otro, sáquenlos y llévenlos al auto!

Ni tiempo tienen de protestar. Los sacan y los introducen en el automóvil Plymouth de la comisaría de Florida. Estacionados sobre la misma acera se encuentran un colectivo rojo y una camioneta policial celeste, con radio móvil.

Del patio de la finca, entretanto, ha escapado un hombre —Torres—, y otro —Lizaso— parece haberlo intentado sin éxito.

El patio pertenece al departamento del frente, pero tiene comunicación indirecta con el fondo, por una puertita que se abre sobre el pasillo, en el cerco de ligustrina.

El episodio es confuso, no hay dos relatos que coincidan. La síntesis que se desprende de todos ellos es que Torres, acompañado de Lizaso, se encaminaba al departamento de don Horacio, por el camino habitual para él, a pedir el uso del teléfono, lo que también era bastante habitual. Fue entonces cuando oyeron y acaso vieron la llegada de la policía.

Torres no titubea. El patio tiene una tapia no muy alta. La salva de un salto y huye a través de las fincas vecinas. En su desesperada carrera, atraviesa cercas y tejados, se desgarra las ropas, se causa profundas heridas en una mano y en el cuello —nunca sabrá cómo—, corre cuadras y cuadras en zigzag, toma por fin un colectivo, hasta que sangrante y exhausto encuentra refugio. En cierto modo, era el primer sobreviviente.

Sobre Carlitos Lizaso hay tres versiones. La primera dice que logró llegar hasta una fábrica de caños próxima, donde el sereno no le permitió esconderse, y de ese modo provocó su captura. La segunda, que fue apresado en el patio mismo al derrumbarse la tapia bajo su peso. La última, que ni siquiera intentó evadirse. Lo único cierto es que fue detenido.

En el departamento del fondo, mientras tanto, se ha repetido la escena de sorpresa y brutalidad. La policía entra sin hallar oposición. Nadie mueve un dedo. Nadie protesta ni se resiste. El vigilante Ramón Madialdea declarará más tarde que aquí se secuestró "un revólver con cachas de nácar". Esa arma (si existió) era la única que había en la casa.

Los hacen salir a la calle, de a uno. Y allí los está esperando el jefe, que no tarda en repartir nuevos gritos, trompadas y culatazos a medida que los suben en el colectivo. A Livraga le martilla fuertemente el estómago con el cañón de la pistola, gritando:

—¿Así que vos ibas a hacer la revolución? ¿Con esa facha?

A Carlitos Lizaso le ha dicho lo mismo. A todos les va preguntando el nombre. La mayoría no le significan nada, se adivina en el gesto desdeñoso, en el "¡Andá, seguí!" con que los empuja hacia el colectivo. Pero el de Gavino parece toda una revelación para él. Se le ilumina la cara de alegría.

Lo sujeta fuertemente por el cuello y de un golpe le introduce el cañón de la pistola en la boca.

—¡Así que vos sos Gavinc! —aúlla—. ¡Así que vos...!

El dedo le tiembla sobre el gatillo. Los ojos le resplandecen.

—Decime dónde lo tenés —ordena inapelable—. *¡Dónde está Tanco!* ¡Pronto, en seguida, porque te mato, aquí mismo te mato! ¡Mirá, no me cuesta nada!

El cañón de la pistola tabletea entre los dientes de Gavino. Del labio partido le brota un hilo de sangre. Tiene los ojos vidriados de miedo.

Pero no le dice dónde está Tanco. O es un héroe, o realmente no tiene la menor idea sobre el paradero del general rebelde...*

A Giunta y Di Chiano los bajan del auto y también los cargan en el colectivo. A último momento se agregan tres hombres más, detenidos en las inmediaciones. Uno es el sereno de la fábrica de caños. Otro, un chofer que acertaba a pasar por allí. El tercero, un joven que se despedía de su novia en la puerta de la casa de ésta...

El colectivo, que es el número 40 de la línea 19, se pone en marcha guiado por su conductor habitual, Pedro Alberto Fernández, a quien se lo han requisado 45 minutos antes. Los prisioneros no saben dónde van, ni —salvo uno o dos— por qué los llevan.

* La reconstrucción de esta escena está basada en testimonios indirectos. Meses más tarde el propio Gavino, en declaración firmada que obra en mi poder, la confirmó con estas palabras "... siendo en su mayoría golpeados, especialmente el suscripto, por el señor jefe de Policía, quien me aplicó varios culatazos en la cabeza, boca y tetilla izquierda, hasta hacerme caer al suelo, emprendiéndome él y varios vigilantes a puntapiés, gritando a viva voz, decí dónde está Tanco o te mato. Cuando se cansaron de golpearme, el señor Jefe me levantó de los cabellos arrancándome gran cantidad, diciendo: Así que vos sos el famoso Gavino, esta noche te fusilamos. A continuación me revisó los bolsillos, quitándome mi cédula de identidad y unos 500 pesos, que nunca me fueron devueltos".

Pero alguno alcanzará a oír un revelador fragmento de conversación entre los vigilantes.

"Ése", el hombre que dirigía el procedimiento, el militar vestido de uniforme, el imparcial dispensador de culatazos y trompadas, a quien todos trataban respetuosamente de "señor", mientras que a la distancia lo ubican con un apodo más familiar, ese hombre era el jefe de Policía de la Provincia de Buenos Aires, teniente coronel (R) Desiderio A. Fernández Suárez.

*

La señora Pilar y su hija creen estar viviendo una pesadilla que no termina. La casa sigue invadida de hombres que revisan muebles y cajones, que interrogan, que hablan a gritos. De afuera llegan todavía las órdenes secas como balazos.

Están llamadas, sin embargo, a presenciar un raro interludio. Es el señor jefe de Policía que vuelve, que toma el teléfono y que habla con voz cambiada. Son apenas unos fragmentos de conversación y un nombre de mujer los que alcanzan a escuchar:

—... Con todo éxito... Magnífico... Parece que en el sur también se levantaron... Decile a Cacho que se cuide... Sí, con todo éxito...

Terminada la conversación, colabora en el registro de la casa. Nélida pretende alejarse del dormitorio donde el señor jefe de Policía busca entre prendas de ropa interior fabulosos planes revolucionarios, o quizás al mismo Tanco. Pero él la hace volver, "para que después no diga que le falta algo".

La primera etapa de la "Operación Masacre" ha sido rápida. Son apenas las 23.30. En ese preciso momento, Radio del Estado, la voz oficial de la Nación, cesa de transmitir música de Ravel y comienza a pasar el disco 6489/94 de Igor Stravinsky.

15. LA REVOLUCIÓN DE VALLE

Lejos de allí, el verdadero alzamiento arde ya furiosamente.

En junio de 1956, el peronismo derrocado nueve meses antes realizó su primera tentativa seria de retomar el poder mediante un estallido de base militar con algún apoyo civil activo.

La proclama firmada por los generales Valle y Tanco fundaba el alzamiento en una descripción exacta del estado de cosas. El país, afirmaba, "vive una cruda y despiadada tiranía"; se persigue, se encarcela, se confina; se excluye de la vida cívica "a la fuerza mayoritaria"; se incurre en "la monstruosidad totalitaria" del decreto 4161 (que prohibía siquiera mencionar a Perón); se ha abolido la Constitución para liquidar el artículo 40 que impedía "la entrega al capitalismo internacional de los servicios públicos y las riquezas naturales"; se pretende someter por hambre a los obreros a la "voluntad del capitalismo" y "retrotraer el país al más crudo coloniaje, mediante la entrega al capitalismo internacional de los resortes fundamentales de su economía".

Dicho en 1956, esto era no sólo exacto: era profético. La proclama de Valle estaba singularmente desprovista de hipocresía. No contenía la habitual invocación a los valores occidentales y cristianos ni los denuestos contra el comunismo, aunque tampoco pasaba por alto el asalto a los sindicatos por "elementos reconocidos como agitadores al servicio de ideologías o intereses internacionales".

Frente a este análisis, la parte programática resultaba endeble. Sacrificaba, quizás inevitablemente, el contenido ideológico al impacto emocional. Proponía en suma un retorno crítico al peronismo y a Perón a través de medios transparentes: elecciones en un plazo no mayor de 180 días, con participación de todos los partidos. En lo económico el programa contradecía típicamente la crítica previa, al asegurar "plenas garantías para los capitales foráneos invertidos o a invertirse", etc.

La proclama ilustraba los dos aspectos que en aquellos tiempos iniciales de la resistencia, caracterizaron al peronismo: una obvia aptitud para percibir los males que sufre en forma directa en cuanto fuerza popular mayoritaria; y una notable ambigüedad para diagnosticar las causas, convertirse en movimiento revolucionario de fondo y abandonar definitivamente al enemigo las consignas electorales y las bellas palabras.

Por supuesto Valle actuó, y entregó su vida, y eso es mucho más que cualquier palabra. La comprensión de su actitud es hoy más fácil que hace diez años; será más fácil aún en el futuro; su figura crecerá justicieramente en la memoria del pueblo, junto con la convicción de que el triunfo de su movimiento hubiera ahorrado al país la vergonzosa etapa que le siguió, esta segunda década infame que estamos viviendo.

La historia del levantamiento es corta. Entre el comienzo de las operaciones y la reducción del último foco revolucionario transcurren menos de doce horas.

En Campo de Mayo los rebeldes encabezados por los coroneles Cortínez e Ibazeta se han apoderado de la agrupación infantería de la escuela de suboficiales y la agrupación servicios de la 1ª división blindada; pero la ocupación de la escuela de suboficiales fracasa después de un corto tiroteo y el grupo atacante queda aislado.*

A las once de la noche un grupo de suboficiales se suble-

* Puede encontrarse un relato detallado de las operaciones y de la represión subsiguiente en el libro de Salvador Ferla *Mártires y verdugos*, publicado en 1964.

van en la Escuela de Mecánica del Ejército, pero deben rendirse después de un tiroteo.

En Avellaneda, en las inmediaciones del Comando de la Segunda Región Militar, se producen dos o tres escaramuzas entre rebeldes y policías. Éstos toman algunos prisioneros. Después irrumpen en la Escuela Industrial y sorprenden al teniente coronel José Irigoyen, con un grupo que pretendía instalar allí el comando de Valle y una emisora clandestina. La represión es fulminante. Dieciocho civiles y dos militares son sometidos a juicio sumario en la Unidad Regional de Lanús. Seis de ellos serán fusilados: Irigoyen, el capitán Costales, Dante Lugo, Osvaldo Albedro y los hermanos Clemente y Norberto Ros. Dirige este procedimiento el subjefe de Policía de la provincia, capitán de corbeta aviador naval Salvador Ambroggio. Los tiros de gracia corren por cuenta del inspector mayor Daniel Juárez. Con fines intimidatorios, el gobierno anunció esa madrugada que los fusilados eran dieciocho.

En La Plata, una bomba lanzada contra una zapatería céntrica parece ser la señal que aguardan los rebeldes para entrar en acción. En el regimiento 7, el capitán Morganti subleva la compañía bajo su comando. Grupos de civiles toman las centrales telefónicas. En las calles céntricas, numerosos transeúntes estupefactos ven pasar varios tanques Sherman, seguidos por camiones cargados con tropas que a toda velocidad se dirigen al Comando de la Segunda División y el Departamento de Policía. En éste hay apenas veinte vigilantes mal armados. Ni el jefe ni el subjefe se encuentran en él. El primero está revisando los muebles de don Horacio di Chiano, en Florida. El segundo, dirigiendo la represión en Avellaneda y Lanús.

Va a comenzar la lucha más espectacular de toda la intentona revolucionaria. Se dispararán alrededor de cien mil tiros, según un cálculo oficioso. Habrá media docena de muertos y unos veinte heridos. Pero las fuerzas rebeldes, cuya superioridad material es a primera vista abrumadora en ese momento, no conseguirían ni el más efímero de los éxitos.

Noventa y nueve de cada cien habitantes del país ignoran lo que está pasando. En la misma ciudad de La Plata, donde el tiroteo se prolonga incesantemente toda la noche, son muchos los que duermen y sólo a la mañana siguiente se enteran.

A las 23.56 Radio del Estado, la voz oficial de la Nación, deja de ofrecer música de Stravinsky y pone en el aire la marcha con que cierra habitualmente sus programas. La voz del "speaker" se despide hasta el día siguiente a la hora de costumbre. A las 24 se interrumpe la transmisión. Todo ello consta en el Libro de Locutores de Radio del Estado, en uso entonces, en la página 51, rubricada por el locutor Gutenberg Pérez.

No se ha pronunciado una sola palabra sobre los acontecimientos subversivos. No se ha hecho la más remota alusión a la ley marcial, que como toda ley debe ser promulgada, anunciada públicamente antes de entrar en vigencia.

A las 24 horas del 9 de junio de 1956, pues, no rige la ley marcial en ningún punto del territorio de la Nación.

Pero ya ha sido aplicada. Y se aplicará luego a hombres capturados antes de su imperio, y sin que exista —como existió, en Avellaneda— la excusa de haberlos sorprendido con las armas en la mano.

16. "A VER SI TODAVÍA TE FUSILAN..."

El colectivo con los prisioneros de Florida, entretanto, se ha dirigido al sudoeste. Cruza el límite del partido de Vicente López y entra en el de San Martín. La actitud de los vigilantes de la custodia es correcta o despreocupada. Algunos detenidos conversan entre sí.

—¿Por qué nos llevarán? —interroga uno.

—Y qué sé yo... —contesta otro—. Será por jugar a las cartas.

—Me huele mal. El grandote dijo algo de una revolución.

Los más desconcertados son don Horacio y Giunta. Porque ellos ni siquiera jugaban a las cartas. Gavino, que no los conoce pero que podría ilustrarlos, guarda silencio. Desmelenado y aturdido, enjugándose la sangre del labio, él sabe por qué los llevan.

Llegan a San Martín, dejan atrás la estación y la plaza y se detienen en la calle 9 de Julio, frente a un edificio con vigilantes armados en la puerta. Algunos ya se ubican. Están en la Unidad Regional de Policía. El viaje ha durado menos de veinte minutos.

Otros veinte minutos, acaso media hora, permanecen sentados en el colectivo antes de que los hagan bajar. Ven salir a la gente del cine más próximo. Los transeúntes los miran con curiosidad. No hay señales de agitación en ninguna parte.

A las 0.11 del 10 de junio de 1956, Radio del Estado reanuda sorpresivamente su transmisión, con la cadena oficial. Por espacio de veintiún minutos propala una selección de música ligera. Es el primer indicio oficial de que algo serio ocurre en el país.

Entretanto, la casa fatídica de Florida vuelve a cobrarse dos imprevisibles víctimas. Julio Troxler y Reinaldo Benavídez vienen en busca de algún amigo a quien suponen allí. No hacen más que recorrer el pasillo y llamar al departamento del fondo —extrañamente silencioso y oscuro— cuando la puerta se abre de golpe y aparecen un sargento y dos vigilantes que les apuntan con sus armas.

Julio Troxler apenas se inmuta, a pesar de la sorpresa. Es un hombre alto, atlético, que en todas las alternativas de esa noche revelará una extraordinaria serenidad.

Veintinueve años tiene Troxler. Dos hermanos suyos están en el Ejército, uno de ellos con el grado de mayor. Él mismo siente quizá cierta vocación militar, mal encauzada, porque donde al fin ingresa como oficial es en la policía bonaerense. Rígido, severo, no transige sin embargo con los "métodos" —con las brutalidades— que le toca presenciar y se retira en pleno peronismo. A partir de entonces vuelca su disciplina y capacidad de trabajo en estudios técnicos. Lee cuanto libro o revista encuentra sobre las especialidades que le interesan —motores, electricidad, refrigeración—. Justamente es un taller de equipos de refrigeración el que instala en Munro y con el que empieza a prosperar.

Troxler es peronista, pero habla poco de política. Cuantos lo trataron lo describen como un hombre sumamente parco, reflexivo, enemigo de discusiones. Una cosa es indudable: conoce a la policía y sabe cómo tratar con ella.

La descripción que podemos dar de Reinaldo Benavídez es aun más somera. Tiene alrededor de treinta años, es de estatura mediana, rostro franco y agradable. Por esa época es dueño de un almacén en sociedad, en Belgrano, y vive con los padres. A Benavídez va a sucederle algo increíble, algo que aun ubicado en esa noche de singulares aventuras y experiencias, parece arrancado de una exuberante novela. Pero ya volveremos sobre ello.

—Por singular coincidencia —que después va a repetirse— Julio Troxler conoce al sargento que le ha salido al paso y que le apunta con su arma. Tal vez por eso han quedado un instante inmóviles los dos, observándose.

—¿Qué hubo? —pregunta Troxler.

—No sé. Tengo que llevarlos.

—¿Cómo me vas a llevar? ¿No te acordás de mí?

—Sí, señor. Pero tengo que llevarlo. Es una orden que tengo.

Se aleja un instante el sargento. Va al departamento del frente, para pedir instrucciones por teléfono. Quedan solos los dos detenidos con los vigilantes. Es cierto que están desarmados, pero si se lo proponen pueden tal vez reducirlos y escapar. Horas más tarde, en circunstancias más difíciles, casi imposibles, obrarán ambos con prodigiosa decisión y sangre fría. Ahora se quedan quietos. Es evidente que no sospechan nada grave.

Y se dejan llevar no más.

Los puestos policiales están en estado de alarma desde temprano. En la segunda de Florida, el comisario Pena tiene sintonizado un receptor en su despacho.

A las 0.32 en punto, Radio del Estado interrumpe la música de cámara y transmitiendo en cadena nacional anuncia que se va a dar lectura a un comunicado de la Secretaría de Prensa de la Presidencia de la Nación, promulgando dos decretos.

Dice así el dramático anuncio:

"Considerando que la situación provocada por elementos perturbadores del orden público obliga al gobierno provisional a adoptar con serena energía las medidas adecuadas para asegurar la tranquilidad pública en todo el territorio de la Nación, así como el normal cumplimiento de las finalidades de la Revolución Libertadora, por ello, el presidente provisional de la Nación Argentina, en ejercicio del Poder Legislativo, decreta con fuerza de ley:

"Artículo 1° - Declárase la vigencia de la ley marcial en todo el territorio de la Nación.

"Art. 2° - El presente decreto-ley será refrendado por el Excelentísimo señor Vicepresidente Provisional de la Nación, y los señores ministros, secretarios de Estado, en los departamentos de Aeronáutica, Ejército, Marina e Interior.

"Art.- 3° - De forma.

"Fdo.: Aramburu, Rojas, Hartung, Krause, Ossorio Arana y Landaburu".

El segundo decreto, considerando que la ley marcial "constituye una medida cuya aplicación debe ser reglamentada para conocimiento de la población" dispone las normas y circunstancias en que se llevará a la práctica.

Recién ha terminado de escuchar el anuncio el comisario cuando le traen a los dos detenidos. Y lo mismo que el sargento, tiene un movimiento de sorpresa al ver a Troxler, a quien conoce y aprecia.

—¿Qué hacés vos por acá?

El otro sonríe, encogiéndose de hombros, y explica lo sucedido sin darle importancia. Seguramente un error... Conversan unos momentos. Después el comisario recibe una llamada telefónica.

—Te piden de la Unidad —y agrega—: Che, a ver si todavía te fusilan... Hace un momentito pasaron la ley marcial.

Se ríen los dos.

Pero el comisario se queda preocupado.

17. "PÓNGANSE CONTENTOS"

0.45. En la Unidad Regional han bajado a los prisioneros del colectivo. Los llevan por una larga galería y los introducen en una oficina situada a la izquierda, donde hay varios bancos de plaza, de color verde, en los que van tomando asiento. El edificio parece en refacciones. Las paredes de esa habitación están recién pintadas, y todavía quedan por ahí algunos elementos de pintura.

Al principio no les ponen vigilancia a los detenidos, que tejen toda clase de conjeturas. Livraga se sienta junto a su amigo Rodríguez y lo primero que hace es preguntarle:

—Gordo, ¿estás metido en algo vos?

Rodríguez se encoge de hombros.

—Sé tanto como vos.

Giunta y don Horacio están perplejos. Lo que más les intriga es aquella pregunta que han oído varias veces repetida: ¿Dónde está Tanco?

Los tres detenidos fuera de la casa, en los alrededores, se deshacen en explicaciones y lamentos. Uno repite incansablemente que él fue a cenar con unos amigos, volvió y al pasar por allí lo agarraron. Otro, que estaba en la puerta de la casa de su novia, despidiéndose... El sereno de la fábrica de caños, un viejo que todavía tiene puestas las botas de goma, farfulla un italiano incomprensible.

Mario Brión piensa en su esposa, que ha de estar esperándolo, sin saber nada: él nunca ha llegado tan tarde.

¿Se acuerda Carlitos Lizaso de aquel mensaje que dejó a su novia? "Si todo sale bien esta noche..."

Garibotti se lamenta de haberle hecho caso a su amigo Carranza, que está abatido y silencioso a su lado. Vaya a saber ahora cuándo los van a soltar, tal vez a la madrugada o al mediodía siguiente... Carranza, a su vez, recuerda las palabras de Berta: "Entregate, entregate...". Bueno, ya está entregado. Los demás puede que salgan, pero él... Apenas pidan sus antecedentes, está sonado. Tal vez piensa en aquel día en que se les disparó a los milicos tucumanos. La puerta está sin custodia y aunque la galería es larga, no hay nadie a la vista. Tal vez con un poco de suerte... Pero no, Berta tiene razón. Es hora ya de entregarse y que hagan con él lo que quieran.

Matar no lo van a matar, por unos panfletos y unas conversaciones...

Gavino está preocupado. A él tampoco lo van a soltar, ahora que lo tienen. Y sabe bien por qué lo tienen. Le tocarán uno o dos años de cárcel, hasta que se vaya el gobierno y den una amnistía. En una de ésas lo mandan al sur. Bueno, tal vez mejor así... ahora tal vez suelten a su mujer... y no que lo maten en una noche como ésta. ¿Habrá estallado...?

En ese momento se asoma un oficial y dirigiéndose a los dos o tres que están más cerca, pregunta:

—Muchachos, ¿ustedes son detenidos políticos?

Y ante la respuesta dubitativa, agrega:

—Pónganse contentos. Estalló la revolución y ya no tenemos comunicación con La Plata.

La Plata es el único lugar donde se combate en regla. El jefe de la sublevación, coronel Cogorno, ataca durante toda la noche el Comando de la Segunda División y la Jefatura de Policía. Las fuerzas atacantes incluyen la compañía del 7, tres tanques al mando del mayor Pratt y dos o tres centenares de civiles.

Los tanques se emplazan frente a la jefatura, pero por algún motivo inexplicado sólo consiguen disparar dos cañonazos contra el edificio. Adentro hay veintitrés hombres: después serán treinta y cinco.

El tiroteo de armas menores, hasta ametralladoras pesadas, es violentísimo, pero los sitiadores no llegan a lanzar un asalto en regla. A lo mejor esperan algo que nunca se produce. Lo cierto es que el coronel Piñeiro, desde adentro, se aguanta toda la noche.

El Comando de la Segunda División, a dos cuadras de la Jefatura, está proporcionalmente mucho más protegido. Tiene alrededor de cincuenta hombres y una ametralladora pesada en posición dominante —sobre los fondos de la calle 54, entre 3 y 4— con lo que se mantiene a raya a la compañía sublevada del 7.

Entre esos hombres que están defendiendo al Gobierno con las armas en la mano, recordaremos a uno que no figuró en los diarios.

Se llama Juan Carlos Longoni. Es (era) inspector de policía, un tipo flaco, cara de piedra, mirada dura y pocas palabras. Cesante en el peronismo, lo reincorporan en 1955. Pasa a ser ayudante del jefe de la División Judicial, que es el doctor Doglia...

Esa noche Longoni está durmiendo en su casa cuando oye los primeros tiros. Se levanta y sale vistiéndose a la calle. Para un taxi y se hace llevar a la zona de lucha. En lo más denso del tiroteo, el taxista se desmaya del susto. Longoni lo deja en la Asistencia, sigue solo, y logra meterse en el Comando. Pide un arma y un puesto de combate. Le entregan una Halcón y le dan a elegir el puesto que quiera. Toda la noche pelea.

Ése es el hombre a quien siete meses más tarde el jefe de Policía de la provincia dejará cesante —¡otra vez cesante!— por secundar a Doglia en sus denuncias sobre este caso. El caso de los prisioneros que en la Unidad Regional San Martín seguían aguardando su incierto destino.

18. "CALMA Y CONFIANZA"

1.45. En el despacho del jefe de la Unidad Regional San Martín, inspector mayor Rodolfo Rodríguez Moreno, también está encendida la radio. El decreto de ley marcial se ha vuelto a propalar a las 0.45, 0.50, 1.15, 1.35. Ahora lo están pasando nuevamente.

Hace alrededor de quince minutos se ha difundido el Comunicado N° 1 de la Vicepresidencia de la Nación, donde por primera vez se informa al país con algún detalle sobre lo que está ocurriendo.

> En nombre del señor presidente provisional —reza el texto— se comunica al pueblo de la República que a las 23 del día sábado se produjeron levantamientos militares en algunas unidades de la provincia de Buenos Aires.
> Inmediatamente el Ejército, la Marina y la Aeronáutica, apoyados por la Gendarmería Nacional, la Prefectura y la Policía, iniciaron operaciones para sofocar el intento de rebelión.
> Se ha decretado el imperio de la ley marcial en todo el territorio de la República.
> Se recomienda a la población tener calma y confianza en la fuerza y consolidación de la Revolución Libertadora.
> Firmado: Isaac F. Rojas, contraalmirante, vicepresidente provisional.

Uno de los prisioneros ha pedido permiso para ir al baño; en el trayecto, el vigilante que lo acompaña lo entera de lo que está pasando.

Hay consternación en el grupo cuando este hombre vuelve con la noticia que confirma de manera definitiva todos los indicios, las sospechas, los temores que han ido creciendo desde las once de la noche anterior, cuando por primera vez oyeron la palabra "revolución", en boca del propio jefe de Policía. Gavino se pone pálido.

—¿A qué hora? —insiste—. ¿A qué hora?

—Parece que recién no más —le contestan.

Gavino lanza un suspiro de alivio. Sabe que no pueden hacerle nada. Está detenido antes de la ley marcial y por lo tanto no puede haberla violado.

Mario Brión tiene un presentimiento funesto.

—A ver si todavía nos matan...

Todos lo miran de reojo. Hay un silencio. Después hablan varios al mismo tiempo:

—Yo fui a cenar a casa de unos amigos, y cuando volvía..., cuando volvía...

—¿Está prohibido despedirse de la novia? Yo no hice nada, yo no sé nada, a mí tienen que dejarme salir...

En el inextricable italiano del viejo sereno se destaca ahora una palabra, martillada a intervalos regulares "*revoluzione... revoluzione...*".

Dos súbitos guardias armados con carabina imponen silencio desde la puerta. En todo el vasto edificio se ha producido un cambio apenas perceptible, pero siniestro. La actitud antes despreocupada de los vigilantes se torna hosca, ceñuda. Voces, repiquetear de pasos en la galería adquieren singulares resonancias. Después, prolongados silencios.

Ajeno a todo, desparramado sobre un banco, como un gran Neptuno negro, el sargento Díaz ronca estertorosamente. Su amplio tórax asciende y desciende con pausado ritmo. El sueño le barniza el rostro con una máscara impasible.

Los demás empiezan a mirarlo con fastidio, con espanto.

19. QUE NADIE SE EQUIVOQUE...

2.45. Rodríguez Moreno tiene un mal pálpito. ¿Por qué a él, justamente a él, tenían que caerle estos pobres diablos? Y sin embargo, hay como una misteriosa justificación, una fidelidad del destino en la misión que le va a tocar.

Hombre imponente, duro, de accidentada y tempestuosa carrera es Rodríguez Moreno. La tragedia lo sigue como un perro devoto. Ya antes de 1943, estando al frente de una comisaría de Mar del Plata, aparece complicado, según versiones, en un hecho escalofriante. Un linyera es golpeado brutalmente en un calabozo y arrojado luego a una playa, completamente desnudo en una noche de crudo invierno. Muere de frío. Parece que a Rodríguez Moreno lo procesan y hasta lo encarcelan en Dolores. Pero después sale en libertad. Porque era inocente, dicen sus defensores. Por influencias políticas, sostienen sus detractores. El episodio queda oscuro y olvidado.

Y ahora esto. Y más tarde, a fines de 1956, de nuevo en Mar del Plata, donde lo han trasladado como jefe de la Unidad Regional, se hablará de un episodio similar. Un carterista chileno muerto a cachiporrazos en un calabozo. ¿Tiene algo que ver Rodríguez Moreno? Dicen que no... Pero el desastre lo sigue. A comienzos de 1957, en un procedimiento dirigido por él, un vigilante cae acribillado a tiros de ametralladora por sus propios compañeros. Un infortunado accidente, dicen los diarios.

Junto a él, esa noche del 9 de junio, está el segundo jefe de la Unidad, comisario Cuello. Un hombre bajo, nervioso, sobre quien circulan también contradictorias versiones.

—Vamos a tomarles declaración —dispone Rodríguez Moreno.

Los detenidos empiezan a desfilar individualmente, en dos tandas. Una va al propio despacho del Jefe. Otra, a la oficina del oficial sumariante.

Juan Carlos Livraga está inquieto. No quiere creer que su amigo Vicente Rodríguez lo haya engañado, pero una intolerable sospecha le ronda por la cabeza. Por eso, cuando Rodríguez vuelve de declarar, se levanta, apresuradamente y pasa antes de que lo llamen. Quiere ser interrogado por la misma persona, averiguar lo que ha dicho su amigo, ampararse en el testimonio de éste.

El interrogatorio es largo, minucioso. Le preguntan si sabía algo de la revolución. Contesta que no. Hace un detallado relato de su llegada a la casa del procedimiento. Subraya que ha ido sólo a escuchar la pelea. Un empleado condensa todo en un par de líneas escritas a máquina.

Le muestra una pila de brazaletes, de color celeste y blanco, con dos letras estampadas: P. V. Le preguntan si los ha visto antes. Contesta que no. El dactilógrafo escribe otro renglón.

Le muestran un revólver. Le preguntan si es suyo.

La pregunta asombra a Livraga. El arma no le pertenece, pero lo raro es que ellos no sepan de quién es.

Dos o tres líneas más se agregan a la declaración. La hoja, una larga hoja, se curva sobre el rodillo y cae hacia atrás. Livraga observa que contiene otras declaraciones anteriores a la suya. En la posición que se halla, frente al dactilógrafo, alcanza sin embargo a descifrar algunos renglones invertidos. Se tranquiliza cuando ve: "Rodríguez ... casualidad ... amigo ... pelea ... ignora ...". Rodríguez ha declarado lo mismo que él. Otros testimonios son similares. A Giunta, el fisonomista, lo interroga un oficial "gordito, de pelo enrulado, de bigote a la americana".

Gavino sabe perfectamente que no le van a creer si dice que él también estaba por casualidad en el departamento de Torres. Busca alguien que lo secunde. Se pone de acuerdo con Carranza. Y ambos declaran que son simpatizantes peronistas, que presumían el estallido del motín y fueron a escuchar la noticia por radio.

—¿Qué hacía usted en esa casa? —le preguntan a Di Chiano.

—Qué iba a hacer... Es mi casa.

—¿Qué hacía?

—Estaba con mi familia, escuchando la radio.

—¿Nada más?

—Nada más.

A Troxler y Benavídez los tienen desde su llegada en otra dependencia, sin mezclarlos con los primeros. Sus testimonios son los más breves. Al fin y al cabo no han hecho más que ir y llamar a una puerta.

—¿Qué hacen con nosotros? —pregunta uno de ellos.

—Creo que los mandan a La Plata —le responden ambiguamente.

A las 2.53 la cadena nacional de radiodifusión ha conectado con el despacho del vicepresidente de la Nación, contraalmirante Rojas, y éste en persona lee el Comunicado N° 2, informando que se ha dominado el motín en la Escuela de Mecánica del Ejército y que se está retomando la Escuela de Suboficiales de Campo de Mayo.

"Que nadie se equivoque —concluye—. La Revolución Libertadora cumplirá inexorablemente sus fines".

3.45. Han terminado los interrogatorios. Dos oficiales se paran a conversar cerca de la puerta.

—A estos cosos —dice uno, volviendo la cabeza—, si el asunto se da vuelta los largamos en seguida...

Pero el asunto no se da vuelta. Todo lo contrario. En La Plata disminuye el tiroteo. Los rebeldes comprenden la imposibilidad de tomar la Jefatura o el Comando: la carrera con el tiempo está perdida. Un avión naval que arroja una bengala provoca corridas y deserciones. Es apenas un anticipo de lo que va a ocurrir cuando las primeras luces permitan el vuelo de máquinas gubernamentales. En Río Santiago se alista la infantería de marina. El propio jefe de Policía se ha puesto finalmente en camino llevando refuerzos.

En la Unidad Regional los prisioneros, nerviosos y soñolientos, tiritan en los bancos. El frío es intenso. Desde las 3, el termómetro marca 0 grados. Parece que ya no los van a mover de aquí esta noche. Algunos tratan de acurrucarse para dormitar.

Es entonces cuando empiezan a llamarlos de nuevo, de a uno. El primero que vuelve explica que le han sacado todo lo que llevaba encima: dinero, el reloj, hasta las llaves. Y muestra el recibo que le dieron.

Algunos alcanzan a precaverse. Livraga, por ejemplo, que tiene cuarenta pesos, esconde treinta en una media. Le entregan recibo por "Un reloj White Star, llavero, diez pesos y un pañuelo". (Firma el oficial Albarello.)

A Benavídez le reciben "Doscientos diecinueve con cuarenta y cinco, documentos y elementos varios". A Giunta, quince pesos, un pañuelo y cigarrillos.

El que tiene más dinero es Carlitos Lizaso. Varios testigos lo han visto salir de Vicente López esa tarde con más de dos mil pesos en la billetera. Incluso hubo quien le aconsejó no llevar una suma tan grande consigo. En la Unidad Regional le hacen constar la entrega de sólo setenta y ocho pesos.

¿Acaso ha imitado la actitud de Livraga? Puede ser. Lo cierto es que esos dos mil pesos desaparecerán finalmente, en un bolsillo u otro. Y no será el único caso. Sólo una pequeña parte del botín recogido esa noche —dinero, relojes, anillos— volverá a poder de sus dueños.

La atmósfera se hace cada vez más pesada entre los detenidos. Una cosa es ya evidente: no piensan soltarlos.

20. ¡FUSILARLOS!

4.45. Parece que Rodríguez Moreno estuviera tratando de ganar tiempo. No ha de resultarle muy agradable salir con semejante noche para matar a diez o quince infelices. Personalmente está convencido de que más de la mitad no tienen nada que ver. Y aun los otros le inspiran dudas. Nerviosos partes se cambian entre él y el jefe de Policía, que ya ha llegado a La Plata. Las instrucciones son terminantes: fusilarlos. La alternativa: quedar incluido él mismo en la ley marcial. Parece que hasta se habla de mandarle un delegado con tropas.

A las 4.47 se difunde el Comunicado Nº 3 de la Vicepresidencia de la República:

"Campo de Mayo se rindió. La Plata, prácticamente dominada. En Santa Rosa, el regimiento de caballería se alista para reducir el último foco. Han sido ejecutados dieciocho rebeldes civiles que pretendieron asaltar una comisaría en Lanús".

La infantería de Marina y la Escuela de Policía levantan el asedio de la Jefatura. Los rebeldes se dispersan. Fernández Suárez llega a la Casa de Gobierno, donde el coronel Bonnecarrere ha tenido que limitarse toda la noche a escuchar el tiroteo cercano, y se encamina con él a la Jefatura. Están subiendo la amplia escalinata que da a la plaza Rivadavia cuando Fernández Suárez se dirige a un subordinado y en voz que todos escuchan da la orden:

—*¡A esos detenidos de San Martín, que los lleven a un descampado y los fusilen!*

Parece que no basta. Fernández Suárez debe acudir personalmente al transmisor.

Rodríguez Moreno recibe la orden. Inapelable. Y se decide.

21. "LE DABA PECADO..."

A último momento, hay tres que tienen suerte. El sereno, "el hombre que fue a cenar" y "el hombre que se despedía de la novia". Los llaman aparte, les devuelven documentos y efectos personales, los dejan en libertad.

Rodríguez Moreno dirá más tarde que los liberó "por su propia cuenta" y que la orden de fusilamiento los incluía.

A los demás los hacen salir a la calle. Frente a la Unidad hay estacionado un carro de asalto, uno de esos camiones azules con carrocería abierta a ambos lados y bancos transversales de madera. Detrás, a algunos metros de distancia, espera una camioneta policial. Junto a ella un hombre de baja estatura, enfundado en un impermeable, se restriega nerviosamente las manos. Es el comisario Cuello.

Los prisioneros reciben orden de subir al camión. Todavía alguno vuelve a preguntar:

—¿Adónde nos llevan?

—Quédense tranquilos —llega la artera respuesta—. Los trasladamos a La Plata.

Ya casi han subido todos. En ese momento sucede una escena curiosa. Es Cuello, que en un brusco impulso grita:

—¡Señor Giunta!

Giunta se da vuelta, sorprendido, y camina hacia él.

Ahora hay casi un acento de súplica en la voz baja y reconcentrada de Cuello.

—Pero, señor Giunta... —mueve un poco los brazos, con las manos crispadas—, pero usted ¿estaba en esa casa? ¿Realmente estaba?

Giunta comprende en un relámpago que le está pidiendo que diga que no. Apenas una sílaba para soltarlo, para arreglar su situación de cualquier manera. La cara de Cuello le sorprende: tensa, los ojos un poco extraviados, un músculo incontrolable palpitándole en una mejilla ("Él sabía que yo era inocente. Le *daba pecado* mandarme a morir", dirá más tarde Giunta en su gráfico lenguaje).

Pero Giunta no puede mentir. Mejor dicho: no sabe por qué tiene que mentir.

—Sí, yo estaba.

El policía se lleva la mano a la cabeza. Es un gesto que dura una fracción de segundo. Pero es extraño... Después recobra el dominio de sus nervios.

—Está bien —dice secamente—. Vaya.

Giunta no olvidará la escena. A lo largo de minutos y minutos la irá elaborando sin darse cuenta. Él ya va condicionado, inconscientemente prevenido para lo que pueda ocurrir. Tiene el hábito profesional de observar caras, estudiar sus reflejos y reacciones. Y lo que acaba de ver en el rostro de Cuello es todavía informe, nebuloso, pero inquietante.

Ya están todos arriba. Y otra vez surge el enigma: ¿cuántos eran? Diez, calculó Livraga. Diez, repetirá don Horacio di Chiano. Pero no los han contado. Once, dirá Gavino. Once, estimarán también Benavídez y Troxler.* Pero es evidente que son más de diez y más de once, porque además de ellos cinco, están Carranza, Garibotti, Díaz, Lizaso, Giunta, Brión y Rodríguez. Doce por lo menos. Doce, calculará Giunta, y lo confirmará Rodríguez Moreno, quien, sin embargo, menciona a alguien "con apellido extranjero, parecido a Carnevali, que luego se asiló en una embajada". Doce o trece, declara Cuello. Pero Juan Carlos Torres, basándose en testimonios indirectos, hablará de catorce. Y el jefe de Policía de la provincia, meses más tarde, también hablará de catorce detenidos en

* En su declaración, Gavino nombra a los presos, inclusive a "N. N. un hombre joven, de aproximadamente 35 años, rubio y de bigotes", que debe ser Giunta. Pero omite a Mario Brión. En cambio, la declaración conjunta de Troxler y Benavídez (también en mi poder) nombra a "Mario N.", pero omite a Giunta. La explicación que se me ocurre es ésta: Gavino, Troxler y Benavídez no conocían con anterioridad a Brión ni a Giunta. Entre estos dos, hay cierto parecido físico. Al verlos en momentos sucesivos dentro de la penumbra del camión, llegaron a identificar el uno con el otro, haciendo de dos personas una sola.

Florida. Si existieron esos dos hombres adicionales, uno de ellos debió ser el anónimo suboficial que menciona Torres.

¿Y los vigilantes? Son trece, según un testimonio. Parece que van al mando de un cabo Albornoz, de la subcomisaría de Villa Ballester, a juzgar por información obtenida de otra fuente. ¿Es el mismo a quien verá más tarde Livraga en singulares circunstancias? No lo sabemos.

Una cosa llama fuertemente la atención. Los policías van armados de simples máuseres. Para la misión que llevan, y en las circunstancias en que la van a cumplir, es casi incomprensible. ¿Se trata de una oportunidad, una "aliviada" que consciente o inconscientemente va a darles Rodríguez Moreno a los prisioneros? ¿O es que no existen fusiles ametralladoras en la Unidad Regional? Enigma de difícil respuesta. Lo indudable es que gracias a esa afortunada circunstancia —y a otras igualmente extrañas que veremos luego— la mitad de los condenados salvarán la vida.

Éstos no saben que están condenados, sin embargo, y esa inaudita crueldad debe subrayarse en la tabla de agravantes y atenuantes. No se les ha dicho que los van a matar. Más aún, hasta último momento habrá quien pretenda engañarlos.

Los vigilantes colocan las cortinas de loneta que cierran la carrocería y el vagón policial, seguido por la camioneta donde viajan Cuello, Rodríguez Moreno y el oficial Cáceres, se pone en marcha en dirección noroeste, por la calle 9 de Julio y su continuación Balcarce, que a su vez se prolonga en la ruta 8. Recorre 2100 metros —unas quince cuadras pobladas— antes de salir al primer descampado, que tiene unos mil metros de largo. Allí la ruta oblicua hacia el oeste.

Los prisioneros no tienen oportunidad de observar estos detalles topográficos. Van como en una celda, en una oscuridad casi completa. Lo único que pueden ver es el rectángulo de camino pavimentado que allá adelante les permite el parabrisas.

Hace un frío cruel. La temperatura se mantiene en cero grados. Los que más sufren son Giunta, que lleva una simple campera, y Brión con su tricota blanca. Están sentados frente a frente, sobre la izquierda, Brión en el primer banco doble, de espaldas al conductor, y Giunta en el segundo, mirando hacia adelante. Uno de los broches de la cortina que cierra la puerta está roto, y la tela flamea con golpes secos, dejando entrar un helado chorro de viento, cortante como un cuchillo. Se turnan los dos para sujetarla y hablan en voz baja.

—Yo creo que nos matan, don Lito —dice Brión.

Giunta va masticando el incidente con Cuello, pero trata de consolar a su vecino.

—No piense en esas cosas, don Mario. No oyó que nos llevan a La Plata...

Si pudieran ver, se darían cuenta de que se alejan cada vez más de su presunto destino. Al lado de Giunta va don Horacio. Él también cree que los llevan a La Plata. Enfrente tiene a Vicente Rodríguez, silencioso y pensativo. Gavino va junto a Carranza. El primero teme. El segundo está confiado. Confiado también, seguro, casi optimista dentro de las circunstancias, parece Juan Carlos Livraga. Él es colectivero, conoce bien las rutas, tendría que darse cuenta de que no los llevan adonde dicen. Sin embargo, no observa nada.

En los bancos de atrás viajan Lizaso, Díaz, Benavídez, Troxler... Éste va tenso, alerta, tratando de espiar el mínimo indicio que le permita ubicarse. Conoce bien a los vigilantes, está acostumbrado a tratarlos y mandarlos. ¿Por qué ninguno quiere mirarlo de frente? Algo les habrá visto Julio Troxler para sentirse tan desconfiado.

El camión entra nuevamente en zona poblada. A la izquierda hay casas más o menos dispersas en un trecho de mil metros. Luego aparecen también a la derecha. La ruta corta en diagonal lotes y calles a lo largo de mil metros más. Y de pronto se amplía, se bifurca. Troxler casi da un salto. Acaba de reconocer el lugar. Están en el cruce de la ruta 8 y el camino de cintura. Por lo tanto, no sólo no van a La Plata, sino que se dirigen en sentido contrario. Y la ruta 8 conduce a Campo de Mayo. Y en Campo de Mayo...

Un singular incidente interrumpe sus deducciones. El chófer se ha descompuesto. Para el camión, baja, parece que devuelve. Hay consultas con los que vienen en la camioneta.

Uno de los prisioneros —es Benavídez— ofrece su colaboración.

—Si quieren, manejo yo —dice con toda inocencia—. Yo sé manejar.

No le hacen caso. Sube el chófer. Vuelven a arrancar.

"Y en Campo de Mayo... ", piensa Troxler. Pero se equivoca. Porque el carro de asalto dobla a la derecha, en ángulo recto, toma el camino de cintura, ¡va hacia el norte!

Es incomprensible.

22. EL FIN DEL VIAJE

Realmente es incomprensible. ¿Qué piensa Rodríguez Moreno? Siguiendo al oeste por la ruta 8, a unas diez cuadras de allí empieza un descampado de cuatro o cinco kilómetros, un verdadero desierto en la noche, que hasta tiene un puente sobre un río... Un escenario perfecto para lo que se planea. Y sin embargo, dobla al norte, hacia José León Suárez, se interna en una zona semipoblada, donde sólo hay baldíos de tres o cuatro cuadras de largo.

¿Es estupidez? ¿Es anticipado remordimiento? ¿Puede ignorar la zona? ¿Es un inconsciente impulso de buscar testigos para el crimen que va a cometer? ¿Quiere brindar una posibilidad "deportiva" a los condenados, librarlos al destino, a la suerte, a la astucia de cada uno? ¿Quiere de este modo absolverse, delegando el fin de cada cual en manos de la fatalidad? ¿O quiere todo lo contrario: apaciguarlos, para que resulte más fácil darles muerte?

Hay uno por lo menos que no se apacigua. Es Troxler. Y al fin ha conseguido que uno de los guardianes lo mire y le sostenga la mirada. Pero hace algo más ese vigilante anónimo. Con la rodilla le da un golpe rápido, deliberado, inequívoco. Una señal.

Troxler, pues, *ya sabe*. Pero decide jugar una carta audaz, forzar una decisión o por lo menos poner sobre aviso a los otros.

—¿Qué pasa? —pregunta en voz alta—. ¿Por qué me toca?

Pánico se refleja en la mirada del policía. Ya está arrepentido de lo que hizo. El cabo lo mira con suspicacia.

—Por nada, señor —contesta atropelladamente—. Fue sin querer.

El camión se ha detenido.

—¡Bajen seis! —ordena el cabo.

Don Horacio es el primero en descender, por la derecha del camión. Lo siguen Rodríguez, Giunta, Brión, Livraga y algún otro, custodiados por igual número de vigilantes. Por primera vez pueden observar los alrededores. Están sobre un camino de asfalto. Hay campo a ambos lados. Frente a ellos, del lado en que bajaron, la cuneta está anegada, y detrás hay un alambrado. El sitio, a pesar de todo, es casi perfecto.

Pero entonces vuelve a surgir una voz de orden desde la camioneta policial estacionada detrás:

—No, aquí no. ¡Más adelante!

Los suben y se reanuda la marcha. Troxler recomienza su angustioso oficio mudo. Ahora trata de captar la mirada de los otros detenidos, combinarse con ellos, alertarlos para un desesperado golpe de mano. Pero es inútil. Los demás parecen aturdidos, resignados, idiotizados. Todavía no creen, no pueden creer... Sólo Benavídez da la impresión de responderle. Está alerta como él, tenso y expectante.

Trescientos metros anda el camión antes de pararse por última vez. Y ésta es la definitiva. Casi treinta minutos ha durado el viaje de siete kilómetros.

Bajan los mismos prisioneros. También Carranza y Gavino. Tal vez Garibotti y Díaz. Troxler afirmará luego que arriba quedan con él Benavídez, Lizaso y el suboficial anónimo.* Otros testimonios son confusos, divergentes, contaminados todavía por el pánico.

A la derecha del camino, oscuro y desierto, nace una callecita pavimentada que conduce a un Club Alemán. De un lado la calle tiene una hilera de eucaliptus, que se recortan altos y tristes contra el cielo estrellado. Del otro, a la izquierda, se extiende un amplio baldío, un depósito de escorias, el siniestro basural de José León Suárez, cortado de zanjas anegadas en invierno, pestilente de mosquitos y bichos insepultos en verano, corroído de latas y chatarra.

Por el borde del baldío hacen caminar a los detenidos. Los vigilantes los empujan con los cañones de los fusiles. La camioneta entra en la calle y les alumbra las espaldas con los faros.

Ha llegado el momento...

* O acaso."Mario N.", es decir Brión, cuyo apellido ignoraba Troxler. Pero otros sobrevivientes aseguraron que Mario bajó con ellos. La contradicción —típica de situaciones semejantes— permanece insoluble hasta ahora.

23. LA MATANZA

...Ha llegado el momento. Lo señala un diálogo breve, impresionante.

—¿Qué nos van a hacer? —pregunta uno.

—¡Camine para adelante! —le responden.

—¡Nosotros somos inocentes! —gritan varios.

—No tengan miedo —les contestan—. *No les vamos a hacer nada.*

¡NO LES VAMOS A HACER NADA!

Los vigilantes los arrean hacia el basural como a un rebaño aterrorizado. La camioneta se detiene, alumbrándolos con los faros. Los prisioneros parecen flotar en un lago vivísimo de luz. Rodríguez Moreno baja, pistola en mano.

A partir de ese instante el relato se fragmenta, estalla en doce o trece nódulos de pánico.

—Disparemos, Carranza —dice Gavino—. Yo creo que nos matan.

Carranza sabe que es cierto. Pero una remotísima esperanza de estar equivocado lo mantiene caminando.

—Quedémonos... —murmura—. Si disparamos, tiran seguro.

Giunta camina a los tumbos, mirando hacia atrás, un brazo a la altura de la frente para protegerse del destello que lo encandila.

Livraga se va abriendo hacia la izquierda, sigilosamente. Paso a paso. Viste de negro. De pronto, lo que parece un milagro: los reflectores dejan de molestarlo. Ha salido del campo luminoso. Está solo y casi invisible en la oscuridad. Diez metros más adelante se adivina una zanja. Si puede llegar...

La tricota de Brión brilla, casi incandescente de blanca.

En el carro de asalto Troxler está sentado con las manos apoyadas en las rodillas y el cuerpo echado hacia adelante. Mira de soslayo a los dos vigilantes que custodian la puerta más cercana. Va a saltar...

Frente a él Benavídez tiene en vista la otra puerta.

Carlitos, azorado, sólo atina a musitar:

—Pero, cómo... ¿Así nos matan?

Abajo Vicente Rodríguez camina pesadamente por el terreno accidentado y desconocido. Livraga está a cinco metros de la zanja. Don Horacio, que fue el primero en bajar, también ha logrado abrirse un poco en la dirección opuesta.

—¡Alto! —ordena una voz.

Algunos se paran. Otros avanzan todavía unos pasos. Los vigilantes, en cambio, empiezan a retroceder, tomando distancia, y llevan la mano al cerrojo de los máuseres.

Livraga no mira hacia atrás, pero oye el golpe de la manivela. Ya no hay tiempo para llegar a la zanja. Va a tirarse al suelo.

—¡De frente y codo con codo! —grita Rodríguez Moreno.

Carranza se da vuelta, con el rostro desencajado. Se pone de rodillas frente al pelotón.

—Por mis hijos... —solloza—. Por mis hi...

Un vómito violento le corta la súplica.

En el camión Troxler ha tendido la flecha de su cuerpo. Casi toca las rodillas con la mandíbula.

—*¡Ahora!* —aúlla y salta hacia los dos vigilantes.

Con una mano aferra cada fusil. Y ahora son ellos los que temen, los que imploran:

—¡Las armas no, señor! ¡Las armas no!

Benavídez ya está de pie y toma de la mano a Lizaso.

—¡Vamos, Carlitos!

Troxler les junta las cabezas a los vigilantes y tira uno a

cada lado, como muñecos. Da un salto y se pierde en la noche.

El anónimo suboficial (¿o es un fantasma?) tarda en reaccionar. Se incorpora a medias. Desde la punta del coche un tercer vigilante lo está cubriendo con el fusil. Se oye el tiro. El suboficial hace ¡Aaaah!, y vuelve a sentarse, como estaba. Pero muerto.

Benavídez salta. Siente los dedos de Carlitos que se deslizan entre los suyos. Con desesperada impotencia comprende que el chico se le queda, sepultado bajo los tres cuerpos que se le echan encima.

Abajo, los policías oyen el tiro a retaguardia y por una fracción de segundo titubean. Algunos se dan vuelta.

Giunta no espera más. ¡Corre!

Gavino hace lo mismo.

El rebaño empieza a desgranarse.

—¡Tírenles! —vocifera Rodríguez Moreno.

Livraga se arroja de cabeza al suelo. Más allá, Di Chiano también se zambulle.

La descarga atruena la noche.

Giunta siente una bala junto al oído. Detrás oye un impacto, un gemido sordo y el golpe de un cuerpo que cae. Probablemente es Garibotti. Con prodigioso instinto, Giunta hace cuerpo a tierra y se queda inmóvil.

A Carranza, que sigue de rodillas, le apoyan el fusil en la nuca y disparan. Más tarde le acribillan todo el cuerpo.

Brión tiene pocas posibilidades de huir con esa tricota blanca que brilla en la noche. Ni siquiera sabemos si lo intenta.

Vicente Rodríguez ha hecho cuerpo a tierra una vez. Ahora oye los vigilantes que se acercan corriendo. Trata de levantarse, pero no puede. Se ha cansado en los primeros treinta metros de fuga y no es fácil mover el centenar de kilos que pesa. Cuando al fin se incorpora, es tarde. La segunda descarga lo voltea.

Horacio di Chiano dio dos vueltas sobre sí mismo y se quedó inmóvil, como si estuviera muerto. Oye silbar sobre su cabeza los proyectiles destinados a Rodríguez. Uno pica muy cerca de su rostro y lo cubre de tierra. Otro le perfora el pantalón sin herirlo.

Giunta permanece unos treinta segundos pegado al suelo, invisible. De pronto salta como una liebre, zigzagueando. Cuando presiente la descarga, vuelve a tirarse. Casi al mismo tiempo oye otra vez el alucinante zumbido de las balas. Pero ya está lejos. Ya está a salvo. Cuando repita su maniobra, ni siquiera lo verán.

Díaz escapa. No sabemos cómo, pero escapa.* Gavino corre doscientos o trescientos metros antes de pararse. En ese momento oye otra serie de detonaciones y un alarido aterrador, que perfora la noche y parece prolongarse hasta el infinito.

—Dios me perdone, Lizaso —dirá más tarde, llorando, a un hermano de Carlitos—. Pero creo que era su hermano. Creo que él vio todo y fue el último en morir.

Sobre los cuerpos tendidos en el basural, a la luz de los faros donde hierve el humo acre de la pólvora, flotan algunos gemidos. Un nuevo crepitar de balazos parece concluir con ellos. Pero de pronto Livraga, que sigue inmóvil e inadvertido en el lugar en que cayó, escucha la voz desgarradora de su amigo Rodríguez, que dice:

—¡Mátenme! ¡No me dejen así! ¡Mátenme!

Y ahora sí, tienen piedad de él y lo ultiman.

*"En lo que respecta a Díaz... los deponentes no recuerdan en qué momento bajó, pero lo cierto es que cuando ellos lo hicieron, Díaz ya no estaba en el camión; es muy posible que... en un descuido de los agentes haya bajado..." Declaración conjunta de Benavídez y Troxler.

24. EL TIEMPO SE DETIENE

Horacio di Chiano no se mueve. Está tendido de boca, los brazos flexionados a los flancos, las manos apoyadas en el suelo a la altura de los hombros. Por un milagro no se le han roto los anteojos que lleva puestos. Ha oído todo —los tiros, los gritos— y ya no piensa. Su cuerpo es territorio del miedo que le penetra hasta los huesos: todos los tejidos saturados de miedo, en cada célula la gota pesada del miedo. *No moverse.* En estas dos palabras se condensa cuanta sabiduría puede atesorar la humanidad. Nada existe fuera de ese instinto ancestral.

¿Cuánto tiempo hace que está así, como muerto? Ya no lo sabe. No lo sabrá nunca. Sólo recuerda que en cierto momento oyó las campanas de una capilla próxima. ¿Seis, siete campanadas? Imposible decirlo. Acaso eran soñados aquellos sones lentos, dulces y tristes que misteriosamente bajaban de las tinieblas.

A su alrededor se dilatan infinitamente los ecos de la espantosa carnicería, las corridas de los prisioneros y los vigilantes, las detonaciones que enloquecen el aire y reverberan en los montes y caseríos más cercanos, el gorgoteo de los moribundos.

Por fin, silencio. Luego el rugido de un motor. La camioneta se pone en marcha. Se para. Un tiro. Silencio otra vez. Torna a zumbar el motor en una minuciosa pesadilla de marchas y contramarchas.

Don Horacio comprende, en un destello de lucidez. *El tiro de gracia.* Están recorriendo cuerpo por cuerpo y ultimando a los que dan señales de vida. Y ahora...

Sí, ahora le toca a él. La camioneta se acerca. El suelo, bajo los anteojos de don Horacio, desaparece en incandescencias de tiza. Lo están alumbrando, le están apuntando. No los ve, pero sabe que le apuntan a la nuca.

Esperan un movimiento. Tal vez ni eso. Tal vez le tiren lo mismo. Tal vez les extrañe justamente que no se mueva. Tal vez descubran lo que es evidente, que no está herido, que de ninguna parte le brota sangre. Una náusea espantosa le surge del estómago. Alcanza a estrangularla en los labios. Quisiera gritar. Una parte de su cuerpo —las muñecas apoyadas como palancas en el suelo, las rodillas, las puntas de los pies— quisiera escapar enloquecida. Otra —la cabeza, la nuca— le repite: no moverse, no respirar.

¿Cómo hace para quedarse quieto, para contener el aliento, para no toser, para no aullar de miedo?

Pero no se mueve. El reflector tampoco. Lo custodia, lo vigila, como en un juego de paciencia. Nadie habla en el semicírculo de fusiles que lo rodea. Pero nadie tira. Y así transcurren segundos, minutos, años...

Y el tiro no llega.

Cuando oye nuevamente el motor, cuando desaparece la luz, cuando sabe que se alejan, don Horacio empieza a respirar, despacio, despacio, como si estuviera aprendiendo a hacerlo por primera vez.

Más cerca de la ruta pavimentada, Livraga también se ha quedado quieto, pero infortunadamente para él, en una posición distinta. Está caído de espaldas, cara al cielo, con el brazo derecho estirado hacia atrás y la barbilla apoyada en el hombro...

Además de oír, él ve mucho de lo que pasa: los fogonazos de los tiros, los vigilantes que corren, la exótica contradanza de la camioneta que ahora retrocede despacio en dirección al camino. Los faros empiezan a virar a la izquierda, hacia donde él está. Cierra los ojos.

De pronto siente un irresistible escozor en los párpados, un cosquilleo caliente. Una luz anaranjada en la que bailan fantásticas figuritas violáceas le penetra la cuenca de los ojos. Por un reflejo que no puede impedir, parpadea bajo el chorro vivísimo de luz.

Fulmínea brota la orden:

—¡Dale a ése, que todavía respira!

Oye tres explosiones a quemarropa. Con la primera brota un surtidor de polvo junto a su cabeza. Luego siente un dolor lacerante en la cara y la boca se le llena de sangre.

Los vigilantes no se agachan para comprobar su muerte. Les basta ver ese rostro partido y ensangrentado. Y se van creyendo que le han dado el tiro de gracia. No saben que ése (y otro que le dio en el brazo) son los primeros balazos que le aciertan.

El fúnebre carro de asalto y la camioneta de Rodríguez Moreno se alejan por donde vinieron.

La "Operación Masacre" ha concluido.

25. EL FIN DE UNA LARGA NOCHE

Los fugitivos se desbandaron por el campo nocturno.

Gavino no ha parado de correr. Salta charcos y zanjas, llega a un camino de tierra, ve casas a lo lejos, se interna por calles que no conoce, tropieza con una vía férrea, la sigue, llega a las inmediaciones de la estación Chilavert, del Mitre, milagrosamente encuentra un colectivo, lo toma...

Es el primero que busca asilo en una embajada latinoamericana, en plena vigencia de la ley marcial. La terrible aventura había terminado para él.

No así para Giunta, a quien le esperaba todavía una pesadilla inagotable. Apenas llegó a zona poblada, buscó refugio en el jardín de una casa. Adentro había luz encendida y movimiento. Casi todo el vecindario de José León Suárez estaba despierto con el tiroteo.

No hizo más que entrar el aterrado fugitivo en el jardín, cuando se abrió una ventana y apareció una mujer gritando:

—¡Ni se atreva, ni se atreva! —y agregó, dando media vuelta y dirigiéndose al parecer al dueño de casa—: ¡Dale vos, ya que se salvó!

Giunta no espera oír más. El mundo debe parecerle enloquecido esta noche. Todos quieren matarlo...

Franquea la cerca de un salto y reanuda su desesperada carrera. Ahora elude las zonas transitadas, camina deliberadamente por calles de tierra.

No puede evitar un encuentro, sin embargo. Son tres muchachos parados en un esquina, que lo miran pasar con curiosidad. Con voz entrecortada les cuenta algo de lo sucedido y les pide dinero, aunque sea unas monedas para tomar cualquier medio de transporte y alejarse de ese infierno. En esos noctámbulos encuentra un corazón menos duro. Uno le da un peso, otro un billete de diez.

Giunta, como Gavino, llega a la estación Chilavert. Probablemente ninguno de los dos sabía que ése era el nombre de otro fusilado, el vencido de Caseros...

Se dirige a la ventanilla y pide un boleto.

—¿Para dónde? —pregunta el empleado.

Giunta lo mira con asombro. No tiene la menor idea. No sabe siquiera dónde está. Debe ser todo un espectáculo este hombre de ojos desencajados, pelos de punta y rostro cubierto de sudor en esta noche helada, que pide un boleto y no sabe con qué destino.

—¿Para dónde? —repite el empleado, mirándolo con curiosidad.

—Para cualquier parte... ¿Adónde va esta línea?

—A Retiro.

—Eso es. A Retiro. Deme un boleto para Retiro.

Recibe el boleto. Se apoya contra una pared. Cierra los ojos y respira hondo. Cuando vuelve a abrirlos, hay en la plataforma tres desconocidos que lo miran, lo miran...

Los tres parecen clavar los ojos en un mismo punto. Giunta baja la cabeza y descubre sus zapatos embarrados, sus pantalones desgarrados por la fuga.

Pero ya llega el tren. Sube de un salto. Los desconocidos suben tras él. Giunta empieza a caminar a lo largo de los vagones. Dos de aquellos hombres se han sentado. Pero el tercero lo sigue, casi pisándole los talones.

Giunta obra con enorme lucidez: aminora el paso, deja que el otro prácticamente lo toque y de golpe se sienta —más bien se deja caer como una piedra— en el primer banco que encuentra a la derecha.

El desconocido también se sienta. A la misma altura del coche vacío, en el asiento de la izquierda.

Giunta no mira a su perseguidor. Clava los ojos en la oscura ventanilla, para tratar de descubrir los movimientos de la imagen reflejada en ella. Casi da un brinco. Porque el Otro —¿será casualidad?— hace lo mismo, lo está "relojeando" en su propia ventanilla.

¿No terminará nunca esta noche? Giunta está desesperado. El tren deja atrás Villa Ballester. El desconocido sigue observándolo con disimulo. Llegan a Malaver. Unos minutos, y están en San Andrés.

Una vez más el instinto de Giunta acude en su favor. En

un relámpago se decide. Deja que el tren se ponga en marcha, que cobre velocidad. Entonces se levanta de un salto, corre a la puerta, la abre de un tirón, baja los escalones de la plataforma y se tira...

Es milagroso que no se mate. Apenas apoya un pie, el suelo le exige brincos gigantescos, que nunca ha dado en su vida. En su carrera de muñeco dislocado —diez metros, veinte metros— va rozando una cerca de ligustrina que le deja largos rasguños en un brazo. Pero el tren ya está lejos, se pierde en la oscuridad como un gusano luminoso.

Y Giunta está —o se cree— a salvo.

*

Julio Troxler se ha escondido en una zanja próxima. Espera que pase el tiroteo. Ve alejarse los vehículos policiales. Entonces hace algo increíble. *¡Vuelve!*

Vuelve arrastrándose sigilosamente y llamando en voz baja a Benavídez, que escapara con él del carro de asalto. Ignora si se ha salvado.

Llega junto a los cadáveres y los va dando vuelta uno a uno —Carranza, Garibotti, Rodríguez—, mirándoles la cara en busca de su amigo. Con dolor reconoce a Lizaso. Tiene cuatro tiros en el pecho y uno en la mejilla. Pero no encuentra a Benavídez.*

Los cuerpos están tibios todavía. Seguramente no ve a

* Troxler refiere que "... encontró sobre el camino ... en el lugar que estaba el camión, a Carlos Lizaso, que se encontraba de cúbito dorsal, con medio cuerpo sobre la ruta y el resto sobre la banquina ... comprobó que se encontraba sin vida ... cruzó la ruta, encontrando en el camino que conduce al Club Alemán, sobre el lado izquierdo, a Rodríguez; en el centro de la calle, junto a un gran charco de sangre, a Carranza, y sobre el lado derecho ... otro cadáver que no pudo identificar...".

Horacio di Chiano, que sigue haciéndose el muerto a alguna distancia. Comprende que ya no tiene qué hacer allí y empieza a caminar en dirección a José León Suárez.

Casi está llegando a la estación, cuando ve venir a Livraga, tambaleándose y cubierto de sangre. En el mismo instante un oficial del destacamento de policía próximo iba al encuentro del herido, gritando: "¿Qué pasa? ¿Qué pasa?".

—Nos fusilaron..., nos pegaron unos tiros —farfullaba Livraga, entre insultos e incoherencias.

El oficial lo sujetó por las axilas, ayudándolo a caminar hacia el destacamento. En el camino, pasó junto a Troxler.

Y por tercera vez en esta noche, el ex oficial de policía se vio reconocido por uno de sus antiguos colegas.

—¡Hola, Troxler! ¿Cómo te va? —grita el otro al pasar.

—Bien. Ya lo ves... —contesta.

Está por seguir de largo cuando ve que se acerca un camión con soldados del Ejército. Como siempre, Julio Troxler hace lo más natural: se dirige a una reducida cola de madrugadores que esperan un ómnibus de la Costera y se incorpora a ella. No piensa tomar el ómnibus —por otra parte no tiene ni cinco centavos—, pero sabe que ahí llama menos la atención.

Parece fatalidad. Porque el camión se para justo frente a la cola. Y sin bajar, un oficial grita:

—Muchachos, ¿ustedes no oyeron unos tiros?

La pregunta parece formulada a todos, pero es a Troxler a quien mira el oficial, es a él a quien se dirige, por un motivo muy sencillo: es el más alto de la fila.

Troxler se encoge de hombros.

—Que yo sepa... —dice.

El camión se va. Troxler abandona su puesto en la fila y empieza a caminar. No tiene con qué tomar un colectivo; un sentido elemental de cautela le impide pedir dinero a un desconocido, o aun permiso para telefonear a sus amigos...

Está exhausto y aterido. Desde la noche anterior no prueba bocado. Camina once horas seguidas por el Gran Buenos Aires, convertido en desierto sin agua ni albergue para él, el sobreviviente de la masacre.

Son las seis de la tarde cuando llega a un refugio seguro.

26. EL MINISTERIO DEL MIEDO

El "tiro de gracia" que le aplicaron a Livraga le atravesó la cara de parte a parte, destrozándole el tabique nasal y la dentadura, pero sin interesar ningún órgano vital. Su juventud y su buen estado atlético le prestaron un servicio incalculable: en ningún momento perdió el sentido, aunque el rostro se le iba hinchando y le dolía mucho. El intenso frío de la helada parecía mantenerlo despierto.

Oye una nueva descarga. Probablemente es la ejecución de Lizaso, la única que parece haber tenido un desarrollo formal. Algunos indicios permiten suponer que los vigilantes lo sujetaron hasta último momento, formaron el pelotón ante él e hicieron fuego en la forma reglamentaria. El infortunado muchacho no atinó a un gesto de fuga. O lo más probable, en el trance decisivo prefirió enfrentar valerosamente a sus ejecutores. Lo cierto es que recibió la descarga de frente, en pleno pecho.

Cuando escucha los vehículos policiales que se alejan, Livraga espera. Todavía no se mueve. Sólo cuando han transcurrido varios minutos trata de incorporarse. Apoya el brazo derecho en el suelo, tiene otro balazo.

A partir de entonces empieza un calvario infinito en que el miedo y el sufrimiento físico se sucederán y llegarán a identificarse. Habrá un momento en que Livraga lamentará haberse salvado.

Logra incorporarse. Camina. Se interna en el basural, por donde viera escapar a Giunta, buscándolo. Hay algo de insensato y de patético en esta búsqueda. Es como si ya no pudiera creer más en nadie de este mundo, como si el único en quien pudiese confiar fuera aquel hombre que ha pasado por la misma experiencia. (Mucho más tarde encontrará por fin a Giunta —en Olmos.)

Después de un largo rodeo a campo traviesa, vuelve a la ruta. Va dejando un largo reguero de sangre. Se acerca a un poblado. Hay algunas luces. Ve el letrero de una estación ferroviaria: José León Suárez. Una persona trata de interrogarlo, pero él sigue, sin responder. Está exhausto. Va a caer. Alguien alcanza a tomarlo entre sus brazos.

Es un oficial de policía.

En ese momento debió pensar Livraga en una pesadilla infinita donde fuera cíclicamente arrestado, fusilado, arrestado, fusilado...

Sin embargo, se había encontrado al fin con un ser humano.

El oficial —a quien ya hemos visto saludando a Troxler— ni siquiera le preguntó por qué estaba herido. Lo cargó apresuradamente en un jeep, puso un vigilante a su lado para que lo cuidase y, colocándose ante el volante, salió disparando rumbo al hospital más próximo.

En la ruta pasaron ante los cadáveres. El oficial detuvo la marcha y ordenó al agente que bajara a investigar.

—Están muertos —anunció el policía.

El oficial se volvió hacia Livraga.

—Decime la verdad, pibe, ¿qué pasó?

En vez de contestar, Livraga vomitó una bocanada de sangre. El oficial no titubeó más. Dejando al agente parado en la ruta, apretó el acelerador a fondo.

27. UNA IMAGEN EN LA NOCHE

Don Horacio ignora cuánto tiempo estuvo haciéndose el muerto. ¿Media hora, una hora? Su noción del tiempo era definitivamente otra. Sólo sabe que no se movió del sitio donde había caído hasta que empezó a aclarar. Y para entonces debían ser las siete y media. El sol del 10 de junio salió a las 7.57.

Alzó la cabeza y vio el campo todo blanco. En el horizonte se divisaba un árbol aislado. Nueve meses más tarde comprobó con sorpresa que no era un solo árbol, sino el ramaje de varios, cortado por una ondulación del terreno, que producía esa ilusión óptica. Incidentalmente, el detalle probó a quien esto escribe —por si alguna duda me quedaba— que don Horacio había estado allí. El único sitio desde donde se observa ese extraño espejismo, es el escenario del fusilamiento.*

A un costado del "árbol fantasma", al borde del pueblo de José León Suárez, vio la capilla cuyas campanadas escuchó cuando le iban a dar el tiro de gracia...

Se puso de pie y echó a correr dificultosamente en esa dirección. Estaba entumecido. El frío era brutal. A las 8.10 se registrarían tres décimas bajo cero.

* Me había intrigado mucho ese rasgo topográfico, que don Horacio mencionaba y que yo nunca lograra observar en mis tres o cuatro visitas el basural. Hasta que fui un día con él. Y de pronto, tras buscarlo ambos un buen rato, *lo vi*. Era fascinante, algo digno de un cuento de Chesterton. Desplazándose unos cincuenta pasos en cualquier dirección, el efecto óptico desaparecía, el "árbol" se descomponía en varios. En ese momento supe —singular demostración— que me encontraba en el lugar del fusilamiento.

En el camino se encontró con una zanja fangosa, insalvable para él. Tuvo que arrancar una chapa de zinc de una pila de basura y ponerla sobre el fondo, a modo de puente.

Salió del baldío y se internó en el pueblo. Caminó unas ocho cuadras. Le parecieron dos. Por una calle transversal vio venir un colectivo. Le pareció rojo. Era amarillo. Creyó que era el número 4. Era el número 1.

Subió.

—¿Adónde va? —preguntó, como Giunta.

—A Liniers.

En un bolsillo chico del pantalón había salvado de la voracidad policial una pequeña suma de dinero. Con ella pudo pagar su boleto. Parece fábula, le dieron un boleto capicúa...

Bajó en Liniers. Entró en un bar. Pidió café. No había, estaban calentando la máquina. Fue a otro bar. Allí le dieron un café doble y una caña doble.

Sólo entonces le pareció que el alma le volvía al cuerpo.

*

¿Cómo escapó el sargento Díaz? Sólo podemos conjeturarlo. Lo cierto es que dos meses después de la masacre estaba con vida, escondido en una casa de Munro. Allí lo detuvo el comisario de Boulogne. Lo mandaron a Olmos. Es el único sobreviviente con el que nunca pude comunicarme.

¿Y el "suboficial X"? ¿Existió? ¿Quién era el hombre al que Troxler y Benavídez vieron balear en el camión? ¿Uno de los doce que ya conocemos, pero desconocido para ellos? La incógnita subsiste hasta hoy.

Cinco muertos seguro dejó la masacre, un herido grave y seis sobrevivientes.

*

Había salido el sol sobre el tétrico escenario del fusilamiento. Los cadáveres estaban dispersos en las inmediaciones de la ruta. Algunos habían caído en una zanja, y la sangre que tenía el agua estancada parecía convertirla en un alucinante río donde flotaban hilachas de masa encefálica. Tiempo después vaciaron allí un camión de alquitrán y otro de cal...

Por todas partes había cápsulas de máuser. Durante muchos días los chicos de la zona las vendieron a los visitantes curiosos. En varias casas lejanas quedaron impactos de balas perdidas.

Los primeros en detenerse junto al camino aquella mañana fueron los desprevenidos pobladores que iban a sus ocupaciones. Después se corrió la voz por el pueblo y una muchedumbre espantada y sombría se fue congregando en torno al pavoroso espectáculo.

En voz baja circulaban las más absurdas versiones.

—Eran estudiantes —aseguraba uno.

—Sí, iban a asaltar Campo de Mayo... —decía otro.

Los más guardaban silencio. Los hombres se descubrían, alguna mujer se persignaba.

Luego todos vieron acercarse por el camino un automóvil nuevo, largo y reluciente, que frenó de golpe ante el grupo. Una mujer asomó la cabeza por la ventanilla.

—¿Qué sucede? —preguntó.

—Esa gente... Que la han fusilado —le contestaron.

Ella tuvo un gesto irónico.

—¡Muy bien hecho! —comento—. Tendrían que matarlos a todos.

Hubo un silencio estupefacto. Después algo describió una parábola y fue a reventar en una nubecita de tierra contra la bruñida carrocería. Al primer cascote siguió otro, y luego un diluvio. Rugiendo enfurecida, la multitud rodeó el automóvil. El chófer atinó a apretar el acelerador a fondo.

Hasta las diez de la mañana permanecieron los muertos a la intemperie. A esa hora vino una ambulancia y los llevó al policlínico San Martín, donde fueron arrojados sin miramientos a un galpón. Rodríguez estaba acribillado, Garibotti tenía un solo tiro, en la espalda. Carranza, muchos, inclusive en las piernas...

El sereno del depósito estaba acostumbrado a ver cadáveres. Cuando llegó esa tarde, sin embargo, hubo algo que le impresionó vivamente. Uno de los fusilados tenía los brazos abiertos a los flancos, y el rostro caído sobre el hombro. Era un rostro ovalado, de cabello rubio y naciente barba, con una mueca melancólica y un hilo de sangre en la boca.

Tenía una tricota blanca, era Mario Brión y parecía un Cristo.*

El hombre se quedó un momento atontado.

Después, le cruzó los brazos sobre el pecho.

28. "TE LLEVAN"

El oficial de policía condujo a Livraga al policlínico San Martín, donde le hicieron las primeras curas. Juan Carlos no perdió el conocimiento: durante horas, médicos y enfermeras le oyeron repetir su historia. Después lo llevaron a la Sala de Recuperación, situada en el tercer piso.

Las enfermeras, arriesgando sus puestos —y acaso más: aún regía la ley marcial—, protegen al herido en todas las for-

* Textuales palabras del sereno al padre de Mario muchos meses después.

mas imaginables. Una llama por teléfono, clandestinamente, al padre de Juan Carlos y le dice que venga a verlo en seguida, porque está "descompuesto". Otra esconde sus ropas; sabe que Livraga dice la verdad y presume que el suéter perforado de bala en el brazo puede ser una prueba. Otra oculta el recibo de la Unidad Regional San Martín, que más tarde iba a servir de cabeza de proceso.

La madre de Juan Carlos está recién operada en un hospital, y no la enteran de la noticia. Don Pedro Livraga, en cambio, acude en seguida a ver a su hijo, acompañado de dos primos y del cuñado de éste. Y estas cuatro personas firman en el libro de entradas foliado del policlínico una declaración en la que consta que han visto con vida a Juan Carlos y que su estado, aunque de cierta gravedad, no permite suponer en absoluto un desenlace fatal.

Acertada precaución, porque esa tarde, o esa noche —para Livraga el tiempo es ya la mera sucesión del dolor— un cabo de la policía provincial viene a asumir su custodia, y al hallarse frente a él, lo mira y remira fijamente como si no quisiera creer que está vivo.

A Livraga le resulta vagamente familiar la cara del policía. No podría jurarlo, pero le parece que lo ha visto antes. ¿Acaso es el cabo Albornoz, que mandaba el pelotón? La pregunta no tiene mayor importancia.

Pero el cabo —un hombre moreno— es lengua larga. Comenta con las enfermeras:

—A éste lo van a llevar de nuevo. No se lo digan, pobre.

Las enfermeras se lo dicen. Y recomienza el suplicio.

El policía, entretanto, busca algo. *El recibo.* Pide las ropas de Livraga. No se las dan. Se vuelve fastidioso, exige directamente ese papelito que es la prueba del crimen. Nadie sabe nada.

Nadie, salvo don Pedro Livraga, que al volver esa noche

a su casa lo encuentra misteriosamente en un bolsillo de su sobretodo.

Y lo guarda, hasta que seis meses más tarde llega a manos del juez.

Entretanto, la vida de Juan Carlos está suspendida del más tenue de los hilos. No hay la menor duda de que la policía provincial quiera acabar con él, el testigo. Pero antes debe resolver el "pequeño" problema de los otros sobrevivientes, buscados con encarnizamiento. Si puede capturarlos a todos, volverá a ejecutarlos, tomando mayores precauciones... Pero si uno solo escapa a la red, será inútil eliminar a los demás.

Livraga ya no resiste, ya no protesta. Cuando esa noche lo ponen en una camilla y una enfermera le dice llorando: "Pibe, te llevan", ya está vencido. *Tanto penar para morirse uno.*

Lo sacan tapado con una sábana, como a un muerto. Lo suben a un jeep y lo llevan.

*

En San Andrés, Giunta tomó un colectivo que lo condujo a casa de su hermano, en Villa Martelli, donde encontró refugio y desahogó sus nervios contando la increíble historia.

Por la noche durmió en casa de los padres, y el lunes 11 de junio acudió a su trabajo. Pensaba que su odisea había terminado. Cuando esa tarde volvió a Florida, sin embargo, su mujer le informó que había pasado la policía a buscarlo. Ella les dijo que estaba en casa de sus padres.

Giunta, que hasta ese momento se había portado con toda lucidez, ahora comete una tontería. Quiere presentarse a aclarar su situación.

Fue a entregarse a la casa paterna. Sabía que allí lo esperaban, y en efecto, no alcanzó a entrar porque lo detuvieron antes.

Lo que ocurrió a partir de entonces es todo un capítulo en la historia de nuestra barbarie.

Primero lo llevaron a la seccional de Munro, y de ahí a la Unidad Regional. Lo encerraron con llave en una especie de cocina. Con él entró un guardián armado que lo hizo sentar en un rincón y lo estuvo apuntando interminablemente con una pistola.

—¡Si avanzás un paso, te levanto la tapa de los sesos! —le informaba a intervalos regulares—. ¡Si hablás, te levanto la tapa de los sesos! ¡Si hacés un gesto, te levanto la tapa de los sesos!

Su vocabulario era más bien limitado, pero convincente. De a ratos, sin embargo, lo incitaba:

—Andá, movete, así te puedo pegar un tiro.

El prisionero no ensayaba el menor ademán. De tanto en tanto el otro parecía cansarse y enfundaba el arma. Pero después volvía a su divertido juego.

Lo empujaban deliberadamente a la locura. En los cambios de guardia se producían conversaciones en voz baja, calculadas para parecer secretas y al mismo tiempo para que el detenido alcanzara a oírlas:

—Esta noche "sale"... —murmuraba uno.

—¿Para *dónde*? —contestaba otro con una risita.

—Dos veces no se salva ninguno.

No le daban de comer, salvo algún sándwich, con intervalos de horas. Cuando quiso dormir, tuvo que tenderse en las heladas baldosas. Gritos que llegaban de afuera le cortaban el penoso sueño.

—¡Cuidaaado, que se escaaapa! ¡Cierren todas las ventanas!

Parece que lo incitaban a la fuga. Al fin y al cabo no era tan difícil. No estaba en un verdadero calabozo. Giunta no se dejó tentar.

Acaso lo incitaban al suicidio. En una oportunidad lo pasaron a otro cuarto del primer piso, con ventanal al patio.

—Y no se le ocurra escaparse por ahí —le dijo un oficial, señalando la accesible ventana—. Porque si no se mata del golpe... En fin, es una opinión.

Desde el primer momento trataron de recuperar el recibo que le entregaron en la misma Unidad la madrugada del 10. Cuando fracasaron las amenazas, apelaron a la seducción. Un oficial joven trataba de persuadirlo con buenas razones:

—Mirá, tu situación ya está aclarada, pero necesitamos ese recibo. No hacés más que entregarlo, y salís en libertad.

Giunta negaba tenerlo, y decía la verdad. Había quemado el recibo.

A los dos o tres días de su encierro, fue a verlo Cuello, el segundo jefe de la Unidad, que realizara una vaga tentativa por salvarlo del fusilamiento. Ahora no podía dar crédito a sus ojos. Le parecía estar viendo un fantasma.

—Pero, ¿cómo hizo? —repetía—. *¿Cómo hizo?*

Giunta estaba tan descentrado, a esa altura de las cosas, que trató de disculparse por haber huido. Explicó que había sido una reacción instintiva, ésa de escapar a la muerte; que en realidad, él no había querido... Sí, no había querido ofenderlos.

Cuando el 17 de junio lo trasladaron a la comisaría 1ª de San Martín, era una ruina de hombre, al borde de la demencia.

29. UN MUERTO PIDE ASILO

¿Había muerto Benavídez? Sus amigos, basados en el relato de Troxler, tenían esperanzas de encontrarlo con vida. En la mañana del 12 de junio tales esperanzas se derrumbaron.

Todos los diarios publicaban un comunicado del gobierno con la lista oficial de "fusilados en la zona de San Martín". Y en ella aparecía Reinaldo Benavídez.

El más asombrado debió ser él mismo, puesto que se había salvado...*

Y sin embargo, la explicación era muy simple. Hay que buscarla en la ciega irresponsabilidad con que se procedió desde el principio hasta el fin en esa operación clandestina calificada de fusilamiento.

Basta la simple lectura de la lista de ejecutados en San Martín para comprender que el gobierno no tenía la menor idea de quiénes eran sus víctimas.

A Benavídez, que gozaba de perfecta salud tras huir del basural de José León Suárez, lo daban por muerto. A Brión, en cambio, que había caído, no lo mencionaban en absoluto. A Lizaso lo llamaban "Crizaso"; a Garibotti, "Garibotto".

Parece mentira que se puedan cometer tantos errores en una lista de apenas cinco nombres, que además correspondían a cinco personas oficialmente ajusticiadas por el gobierno.

Lo curioso es que ninguno de estos macabros errores ha sido rectificado, aun después de que yo los denunciara. Oficialmente, pues, Benavídez sigue estando muerto. Oficialmente, el gobierno nunca ha tenido nada que ver con Mario Brión.

Pero el 4 de noviembre de 1956, los diarios informaban que el día anterior se había exiliado en Bolivia Reinaldo Benavídez.

* "... del lugar de los hechos, se dirigió hacia el noroeste y luego de recorrer unos 500 metros, se apersonó a un colectivero que tiene su parada en esa zona, solicitándole dinero, ascendiendo al vehículo del mismo ..." Declaración de Troxler y Benavídez, fechada en La Paz, Bolivia, el 9 de mayo de 1957, dirigida al autor de este libro.

Sí, el mismo.
El "muerto".

*

A los familiares de las víctimas no se les ahorró molestia, vejación ni incertidumbre alguna.

Un hermano de Lizaso, que por versiones sospechaba su trágico fin, estuvo ambulando de comisaría en comisaría en busca de noticias concretas. A las siete de la mañana del 12 de junio, cuando ya había salido en los diarios la noticia —adelantada el 11 a la noche por Radio Mitre— fue a la Unidad Regional San Martín. Allí tuvieron el sangriento cinismo de decirle que no conocían a Carlitos y mandarlo, en una búsqueda que de antemano sabían estéril, a la Brigada de Investigaciones. De ahí lo remitieron al Distrito Militar. De ahí a Campo de Mayo, donde lo atendió el Jefe del Acantonamiento:

—Lo único que puedo asegurarle —le informó— es que aquí no se ha fusilado a ningún civil.

Fue a la segunda de Florida, luego al ministerio de Ejército. Nadie sabía nada. En la Casa de Gobierno, el general Quaranta se negó a atenderlo. Por fin se compadeció de él un oficial de Aeronáutica, el comandante Valés Garbo, que con un par de fulmíneas órdenes telefónicas consiguió que los esbirros policiales renunciaran al inocente placer que se estaban proporcionando.

*

En Florida, el 11 por la noche, una comisión policial fue a la casa de Vicente Rodríguez a retirar la libreta de enrolamiento del portuario asesinado. Su esposa, que ignoraba todo aún, recibió el 12 una citación de la Unidad, para el día siguiente.

En la Unidad Regional la hicieron esperar una hora antes de que la atendiera un oficial. Ella no había leído los diarios. Volvió a preguntar por el marido, si estaba preso... El oficial la miró entonces de arriba abajo.

—¿Usted es analfabeta? —preguntó despectivamente.

Conste aquí. Consten las ventajas que da el alfabeto para martirizar a una pobre mujer.

—Hubo muchos fusilados —remató el instruido oficial—. *Entre ellos, su esposo.*

La condujeron en una camioneta al policlínico San Martín. Allí estaba el cadáver de Vicente. Preguntó si podía llevárselo para velarlo. Le dijeron que no.

—Vuelva con el cajón. Y de aquí derecho al cementerio. Ah, y tiene que ser antes del viernes. Si no, no lo encuentra.

Volvió con el ataúd. Y fueron derecho al cementerio. Con custodia. Sólo cuando cayó el último terrón, se retiró el último policía.

*

En Boulogne, donde vivían Carranza y Garibotti, el trámite fue similar, aunque con una curiosa variante. El encargado de retirar las libretas de enrolamiento fue un hombre alto, corpulento, moreno, de bigotes, voz ronca y pastosa. Vestía pantalones claros y chaquetilla corta, color verde oliva: el uniforme del Ejército Argentino.

Ya no empuñaba una pistola 45 en la mano derecha.

Bajó de un jeep a las 19 del lunes 11 frente a la casa de Garibotti.

—Vengo a buscar la libreta de su esposo —dijo a Florinda Allende, sin presentarse.

—Aquí no está —repuso ella.

—Búsquela. Tiene que estar.

Y entró en la casa.

Un hijo del ferroviario, Raúl Alberto (13 años), estaba sentado en la cerca.

—¿Vos sos hijo de Garibotti? —le preguntó el chófer del jeep.

—Sí.

—¿Ése que mataron?

El muchacho no sabía nada...

La libreta del muerto no apareció y el hombre alto y corpulento cruzó la calle y golpeó a la casa de Carranza. Berta Figueroa ignoraba todavía la suerte de su marido y el paradero de la libreta.

—Yo no sé nada —dijo—. La tiene que tener él.

—Búsquela, señora, que acá está, porque *él dice que está acá* —insistió el funcionario militar-policial.

Berta lo hizo entrar y fue en busca del documento.

Fernández Suárez se quedó mirando el gran retrato de Nicolás Carranza que colgaba de la pared.

A su alrededor, los chicos lo observaban tímidamente, con sus grandes ojos llenos de curiosidad.

—¿Ése era tu papá? —preguntó a Elena "el señor alto" por orden de quien la pequeña, aunque lo ignorase, ya no tenía papá.

—Sí —repuso.

—¿Cuántos hermanitos son?

—Seis —contestó la niña.

—¿Y vos sos la mayor?

—Sí.

En ese momento volvía Berta Figueroa con la libreta.

—¿Está preso mi marido? —se atrevió, angustiada, a preguntar.

—No sé, señora —contestó apresuradamente el jefe de Policía de la provincia de Buenos Aires—. No sé nada.

Y agregó desde el jeep, con voz más ronca que antes:

—La libreta la piden de La Plata. Es por un trámite.

*

La tarde del 10 de junio un hombre joven, hondamente preocupado, caminaba hacia la calle Franklin, de Florida. En el trayecto lo paró una mujer, a quien no conocía.

—¿Usted es algo de Brión? —le preguntó.

—Hermano —repuso.

—Quédese tranquilo —dijo ella entonces—. Horacio y Mario están bien.

Y antes que él pudiese preguntar más, la desconocida se marchó apresuradamente.

Era una noticia, la primera, desde la desaparición de Mario la noche antes. Los hechos posteriores se encargarían de desmentirla, pero el misterioso incidente iba a despertar —aun frente a la evidencia— las más crueles e irracionales esperanzas.

Un cuñado de Mario no tardó en averiguar que lo habían detenido y fue a la Unidad Regional a preguntar por él. Allí —según una versión indirecta— habría ocurrido un singular episodio.

—¿Cómo era su cuñado? —preguntó el oficial de guardia.

—Era... —comenzó el pariente de Mario, y clavando de golpe la mirada en su interlocutor exclamó asombrado—: Vea, era igual a usted...

Ante esas inesperadas palabras, parece que el oficial fue

víctima de una crisis de nervios y rompió a llorar.

El cadáver de Mario estaba en el policlínico San Martín y de allí fue a retirarlo su padre. Apenas se lo dejaron ver unos segundos. De un golpe replegaron la sábana que lo cubría, de otro golpe volvieron a taparlo.

Meses más tarde, don Manuel Brión recibió una misteriosa llamada telefónica.

—¿Usted es el padre de Mario? —preguntó una voz.

—Sí...

—Quiero hablarle de su hijo.

—¿Quién es usted?

—Soy un marinero. Acabo de volver del sur. Lo espero esta noche junto al paredón de la Escuela de Mecánica...

Mencionó la hora y el lugar exacto.

Un temor innombrable impidió al anciano acudir a la cita. Pero desde entonces empezó a dudar de lo que había visto en la morgue del policlínico, y sólo las palabras, que ya hemos citado, del sereno del depósito, lo confirmaron en la cruel realidad.*

30. LA GUERRILLA DE LOS TELEGRAMAS

Entretanto, se estaba librando una sorda batalla por la vida de Juan Carlos Livraga.

Del policlínico un jeep conducido por el comisario ins-

* El asesinato de Mario Brión fue denunciado por primera vez por mí en "Revolución Nacional" del 19 de febrero de 1957. Esa denuncia me puso en contacto con sus familiares, que aún se resistían a creer en lo irreparable. Las averiguaciones realizadas, infortunadamente, confirmaron su muerte.

pector Torres lo lleva a la comisaría 1ª de Moreno, donde lo arrojan desnudo a un calabozo, sin asistencia médica y sin alimentos. No le dan entrada en los libros. ¿Para qué? Probablemente están esperando capturar a los otros fugitivos para volver a fusilarlo con más tranquilidad. O quieren que se muera solo.

Pero sus familiares no se quedan quietos. Uno de ellos consigue llegar hasta el coronel Arribau. Hay fuertes indicios de que la mediación de este militar impide que se vuelva a ejecutar la pena.

Don Pedro Livraga, por su parte, apela directamente a la Casa Rosada. El 11 de junio a las 19 horas, despacha desde Florida el siguiente telegrama colacionado, recibido a las 19.15 horas y dirigido al Excelentísimo Señor Presidente de la Nación, General Pedro Eugenio Aramburu, Casa de Gobierno, Buenos Aires:

EN MI CARACTER PADRE JUAN CARLOS LIVRAGA FUSILADO MADRUGADA DIA 10 SOBRE RUTA OCHO PERO QUE SOBREVIVIO SIENDO POSTERIORMENTE ASISTIDO POLICLINICO SAN MARTIN DE DONDE FUERA RETIRADO DOMINGO ALREDEDOR 20 HORAS DESCONOCIENDO NUEVO PARADERO RUEGO ANSIOSAMENTE SU HUMANA INTERVENCION PARA EVITAR SEA NUEVAMENTE AJUSTICIADO ASEGURANDOLE SE TRATA CONFUSION PUES ES AJENO A TODO MOVIMIENTO. COLACIONESE. PEDRO LIVRAGA.

La respuesta no tarda en llegar. Es el telegrama Nº 1185, despachado de Casa de Gobierno el 12 de junio de 1956 a las 13.23 horas, recibido a las 20.37 horas, y dirigido a don Pedro Livraga, Florida, que dice:

REFERENTE TELEGRAMA FECHA 11 INFORMO SU HIJO JUAN CARLOS FUE HERIDO DURANTE TIROTEO ESCAPADO POS-

TERIORMENTE FUE DETENIDO Y SE ENCUENTRA ALOJADO COMISARIA MORENO. JEFE CASA MILITAR.

Los familiares de Juan Carlos vuelan a la comisaría de Moreno. Y allí se repite la vieja artimaña policial. Juan Carlos —aseguran los mismos empleados que acaban de verlo tirado en un calabozo— no ha estado nunca allí. Es inútil que don Pedro Livraga muestre el telegrama de la presidencia: Juan Carlos no está. Ellos no lo conocen. Y hasta ponen un aire profesional de inocencia en lo que dicen. Más tarde, frente al juez, el comisario dirá que nadie fue a visitarlo...

Su familia remueve cielo y tierra. Estérilmente. El muchacho no aparece y ya nadie tiene noticias suyas. Con el lento paso de los días, don Pedro se va haciendo a la dura idea. En Florida todos dan por muerto a su hijo.

Pero Juan Carlos no ha muerto. Sobrevive prodigiosamente a sus heridas infectadas, a sus dolores atroces, al hambre, al frío, en la húmeda mazmorra de Moreno. Por las noches delira. En realidad ya no existen noches y días para él. Todo es un resplandor incierto donde se mueven los fantasmas de la fiebre que a menudo asumen las formas indelebles del pelotón. Cuando acaso por piedad le dejan a la puerta las sobras del rancho, y se arrastra como un animalito hacia ellas, comprueba que no puede comer, que su destrozada dentadura guarda todavía lacerantes posibilidades de dolor dentro de esa masa informe y embotada que es su rostro.

Y así pasan los días. La venda que le pusieron en el hospital se va pudriendo, sola se cae a pedacitos infectos. Juan Carlos Livraga es el Leproso de la Revolución Libertadora.

Nada tendríamos que decir en defensa del entonces comisario de Moreno, Gregorio de Paula. Es inútil que un hombre pretenda escudarse en "órdenes superiores" cuando esas órdenes incluyen el asesinato lento de otro hombre inerme e inocente. Pero un resto de piedad debía quedarle esa noche en que llegó al calabozo trayendo con la punta de los dedos una manta usada hasta entonces para abrigar al perro de la comisaría, la dejó caer sobre Livraga y le dijo:

—Esto no se puede, pibe... Hay órdenes de arriba. Pero te la traigo de contrabando.

Bajo esa manta, Juan Carlos Livraga quedó extrañamente hermanado con el animal que antes cobijara. Era, más que nunca, el perro leproso de la Revolución Libertadora.

*

En su calabozo de la comisaría 1ª de San Martín, Giunta escucha una risa larga, que parece venir de lejos, rueda por los pasillos y galerías y de pronto estalla a su lado. Es él mismo quien se ríe. Él, Miguel Angel Giunta. Lo comprueba al llevarse la mano a la boca y sofocar el flujo histérico de la risa que le brota inadvertido de adentro.

Más de una vez ha tenido que reprimirse de este modo, razonar, decirse en voz alta:

—Quieto. Soy yo. No tengo que dejarme llevar...

Pero luego el torbellino lo arrastra nuevamente. Habla solo, ríe, llora, divaga y explica, y vuelve a caer en el pozo del terror donde está la silueta de Rodríguez Moreno, alta contra los eucaliptus nocturnos, en la mano una pistola que brilla fríamente, y hombres que retroceden, uno, dos, tres pasos, para hacer puntería con los fusiles. Y luego el zumbido inolvidable y perverso de las balas, el tropel de los fugitivos, el ¡plop! de un proyectil al penetrar en la carne y el ¡ahhh! desgarrado que suelta un hombre al caer en plena carrera, dos pasos detrás de él. Giunta sacude la cabeza entre las manos y murmura:

—Soy yo, estoy bien, soy yo...

Pero cada rumor que escucha en los pasillos renueva su agonía. "Vienen a llevarme", piensa. "Ahora me fusilan de nuevo."

El sueño, por fin, lo redime. Hace un frío agudo, mas de algún modo logra dormirse en la cucheta de madera sin cobijas. A medianoche lo despierta el grito de los torturados, a quienes les "están dando máquina".

De él, sin embargo, nadie se ocupa. Ni siquiera le hablan. En los ocho días que permanece en el calabozo, no le llevan un solo plato de comida ni un vaso de agua. Son los presos comunes, que salen a dar el paseo reglamentario, quienes lo salvan de la muerte por hambre. A través de la mirilla de la celda le tiran mendrugos de pan y sobras de alimentos que el prisionero recoge ávidamente del suelo. Para mitigar su sed, discurren un procedimiento de emergencia. Introducen por el agujero el pico de una pava y el sobreviviente bebe a tientas el chorro de agua que cae.

Sus familiares, entretanto, carecen de noticias suyas. La policía practica con ellos el divertido juego de la gallina ciega. De la Unidad Regional los mandan a la cárcel de Caseros, de Caseros al penal de Olmos, de Olmos a la Jefatura de La Plata, de La Plata a la comisaría de Villa Ballester, de Villa Ballester a la Unidad Regional San Martín... es una semana de angustia, hasta que finalmente averiguan la verdad: Miguel Angel está en la 1ª de San Martín.

Acuden a verlo, pero sólo al día siguiente les será permitido. Y llegarán a tiempo —su esposa, su anciano padre, su primo, su cuñado— para presenciar una lastimosa escena. Apenas han tenido tiempo de abrazarlo, cuando ya se lo llevan. Y lo sacan a la vía pública, con escolta armada y engrillado, rumbo a la estación ferroviaria. De nada sirven las súplicas de los suyos, buena gente burguesa para quien la sola idea de caminar esposado por las calles es peor que la muerte. Allá va el extraño grupo, a las doce del día, por las arterias céntricas de la ciudad de San Martín: el "temible" preso, los armados esbirros y los llorosos familiares que los siguen. La gente contempla asombrada este espectáculo.

Flaco, barbudo, con mirada de extraviado, espectro de sí mismo, Miguel Angel Giunta ingresó al penal de Olmos el 25 de junio. Allí la vida empezaría a cambiar para él.

31. LO DEMÁS ES SILENCIO...

El telegrama dirigido a don Pedro Livraga, Florida, decía:

ESTADO DE SALUD DE SU HIJO BIEN EN OLMOS LA PLATA. PUEDE VISITARSE DIA VIERNES DIA VIERNES 9 A 11 O DE 13 A 17 HS. SOLO PADRES, HIJOS O HERMANOS MUNIDOS DE SUS CORRESPONDIENTES DOCUMENTOS DE IDENTIDAD. CNEL. VICTOR ARRIBAU.

Llevaba el número 110, había sido despachado de Casa de Gobierno a las 19.30 horas y recibido a las 20.37. Era el lunes 2 de julio de 1956.

Juan Carlos aún estaba en Moreno. Pero es evidente que ya los hilos de su vida pasaban por la Casa Rosada y no por la Jefatura de La Plata. El martes 3 lo trasladaron a Olmos. Y sus padres —que lo daban por muerto— descontaron ansiosamente los días que faltaban hasta el viernes.

Por fin lo vieron. Les costó trabajo reconocerlo: había rebajado diez kilos, los vendajes le borraban la cara. Desde su llegada al penal, sin embargo, se le brindaba un trato humano y adecuada atención médica. En realidad ya había mejorado bastante en esos pocos días.

Giunta también se recuperaba de su postración nerviosa. Al principio había sufrido mucho el contacto de los presos comunes. Decidió entonces hablar con el director del penal y contarle su extraña odisea. El director —un hombre bondadoso, que más tarde fue reemplazado— se quedó pensativo.

—Muchos han traído historias como ésa —repuso al fin—. Pero no siempre son ciertas. Si lo que usted dice es verdad, veremos lo que se puede hacer...

Ordenó su traslado al pabellón de políticos. Allí Giunta se sintió mejor. Los presos eran militantes comunistas y nacionalistas, dirigentes obreros, hasta algún periodista, y con ellos por lo menos se podía hablar, aunque a él no le interesaban las controversias políticas y sindicales.

Después llegó Livraga. Giunta no lo recordaba. Juan Carlos, en cambio, conservaba de él una imagen nítida. La experiencia común los acercó. Al principio Livraga había preferido permanecer entre los delincuentes comunes: aún temía por su vida, y pensaba que allí pasaba más inadvertido. Después sus aprensiones disminuyeron y pidió pasar al otro pabellón.

Entre los presos circulaba con insistencia el nombre de un letrado platense: el doctor von Kotsch. Se citaban casos de detenidos puestos en libertad merced a su intervención. El doctor Máximo von Kotsch, abogado de 32 años, con activa militancia en el radicalismo intransigente, dedicaba en efecto su notorio dinamismo a la defensa de presos gremiales. Entre ellos, los numerosos petroleros torturados por la policía bonaerense. Giunta y Livraga pidieron hablar con él, y el doctor von Kotsch escuchó con asombro el relato de lo sucedido aquella madrugada del 10 de junio en las afueras de José León Suárez. En el acto asumió la defensa de los dos sobrevivientes, y vista la falta de proceso judicial —estaban a disposición del Poder Ejecutivo— y de causas reales que justificaran su encarcelamiento, solicitó que fueran puestos en libertad.

La noche del 16 de agosto de 1956, los presos del pabellón político se disponían a acostarse, cuando la voz de un guardián reclamó:

—¡Población, silencio! —y luego—: Los que yo vaya nombrando, pasen con todo.

Un estremecimiento corrió por el pabellón. Algunos iban a salir en libertad, otros se quedarían. Todos escuchaban con avidez, mientras los que eran nombrados recogían febrilmente sus cosas.

—...Miguel Angel Giunta... —recitaba el guardián—, Juan Carlos Livraga...

Eran los dos últimos de la lista. Se miraron incrédulos. Se abrazaron. Después se les ocurrió simultáneamente la misma idea. A lo mejor era una trampa para matarlos. Pero a la salida del pabellón apoyado en una columna, los esperaba el doctor von Kotsch. Sonreía. Giunta dice que nunca olvidará ese momento.

Esa misma noche el abogado los llevó a la jefatura de Policía de La Plata para visar sus órdenes de excarcelación. En la de Giunta, en el rubro "Causa", había una expresiva línea de guiones escritos a máquina.

Sin causa, en efecto, se había pretendido fusilarlo. Sin causa, se lo había torturado moralmente hasta los límites de la resistencia humana. Sin causa, se lo había condenado al hambre y la sed. Sin causa, se lo había engrillado y esposado. Y ahora, sin causa, en virtud de un simple decreto que llevaba el N° 14.975, se lo restituía al mundo.

*

Giunta y Livraga debían su libertad y aun su vida —amén de los esfuerzos del doctor von Kotsch— a una circunstancia fortuita. No eran, como ellos creían, los únicos testigos sobrevivientes de la "Operación Masacre". La policía bonaerense había tratado de capturar a los demás fugitivos y recuperar las pruebas, sobre todo los recibos expedidos por la Unidad Regional San Martín, logrado eso, es probable que todo, personas y cosas, hubieran desaparecido en una final y silenciosa hecatombe. Pero la tentativa había fracasado y la "Operación Masacre", aun eliminando a Giunta y Livraga, iba a ser ampliamente conocida aquí y en el extranjero.

Gavino se había asilado en la embajada de Bolivia antes de que se apagaran los ecos de los últimos fusilamientos. Cuando viajó a aquel país, llevaba consigo el recibo.

Julio Troxler y Reinaldo Benavídez tampoco pudieron ser detenidos. A mediados de octubre se refugiaron en la misma embajada y el 3 de noviembre un avión los condujo a La Paz. El 17 de octubre, un hombre alto y moreno llegaba caminando tranquilamente a la entrada de la sede diplomática, en la calle Corrientes al 500. En el acto dos pesquisas de civil se lanzaron sobre él y alcanzaron a manotearlo. Pero ya era tarde: Juan Carlos Torres, el inquilino del departamento del fondo, acababa de sustraerse a Fernández Suárez y pisaba suelo extranjero. En junio de 1957, también viajó a Bolivia.

Don Horacio di Chiano estuvo cuatro meses oculto antes de volver temerosamente a su casa de Florida. La experiencia de terror había dejado hondas huellas en él. Habían querido matarlo a mansalva. Durante interminables segundos, había esperado bajo los faros de la camioneta policial el tiro de gracia que no llegó. Sin haber cometido ningún delito, estaba prófugo. Había perdido su empleo, después de diecisiete años de servicio y ahora estaba dilapidando sus ahorros en el sostén de su familia. Él nunca comprenderá nada de lo ocurrido.

Livraga y Giunta volvieron a trabajar. El primero como albañil, ayudando a su padre; el segundo en su viejo empleo.

El sargento Díaz no escapó del todo a la furia desencadenada aquella noche de junio. Estuvo largos meses preso en Olmos.

En los cementerios de Boulogne, San Martín, Olivos, Chacarita, modestas cruces recuerdan a los caídos: Nicolás Carranza, Francisco Garibotti, Vicente Rodríguez, Carlos Lizaso, Mario Brión.

En Montevideo, poco tiempo después de conocer la noticia, había muerto don Pedro Lizaso, el padre de Carlitos. En sus últimos días le oyeron repetir incesantemente:

—Yo tengo la culpa... Yo tengo la culpa.. .

A fines de 1956, Vicente Damián Rodríguez hubiera sido padre de su cuarto hijo. Su mujer, desesperada y roída por la miseria, se resignó a perderlo.

Dieciséis huérfanos dejó la masacre: seis de Carranza, seis de Garibotti, tres de Rodríguez, uno de Brión. Esas criaturas en su mayor parte prometidas a la pobreza y el resentimiento, sabrán algún día —saben ya— que la Argentina libertadora y democrática de junio de 1956 no tuvo nada que envidiar al infierno nazi.

Ése es el saldo.

Pero lo que a mi juicio simboliza mejor que nada la irresponsabilidad, la ceguera, el oprobio de la "Operación Masacre" es un pedacito de papel. Un rectángulo de papel oficial de 25 centímetros de alto por 15 de ancho. Tiene fecha varios meses posterior al 9 de junio de 1956 y está expedido, después del trámite previo en todas las policías provinciales, incluso la bonaerense, a nombre de Miguel Ángel Giunta, el fusilado sobreviviente. Sobre el fondo de un escudo celeste y blanco, constan su nombre y el número de su cédula de identidad. Arriba dice: República Argentina - Ministerio del Interior - Policía Federal. Y luego, en letras más grandes, cuatro palabras: "*Certificado de Buena Conducta*".

Tercera Parte

LA EVIDENCIA

32. LOS FANTASMAS

Rodríguez Moreno era un hombre agotado y perplejo cuando a las seis de la mañana del 10 de junio informó por radio a la Jefatura de Policía de La Plata que la orden de fusilamiento estaba cumplida. ¿Mencionaría la fuga de más de la mitad de los prisioneros? Optó por callarse.

Jefatura no dormía. Pidió la nómina de los fusilados. Y ahora sí, Rodríguez Moreno no tuvo más remedio que enviar la lista de los cinco muertos.

—¿Y los otros? —vociferó Fernández Suárez.

—Se escaparon.

Nunca sabremos exactamente lo que pasó en el despacho del jefe de Policía cuando el atribulado inspector mayor se presentó a rendir su informe. Rodríguez Moreno, declarando ante el juez, dirá siete meses más tarde que "fue tratado rigurosamente" por Fernández Suárez.

El problema del jefe de Policía es fácil de enunciar, difícil de resolver. Ha detenido a una docena de hombres antes de entrar en vigor la ley marcial. Los ha hecho fusilar sin juicio. Y ahora resulta que siete de esos hombres están vivos.

Las medidas que adopta revelan que comprende su situación. Lo primero que hace es dispersar a los ejecutores materiales y testigos. A Rodríguez Moreno y Cuello los manda a la Unidad Regional de Mar del Plata, al comisario De Paula (que ha visto a Livraga en Moreno) lo enviará más tarde a la comisaría de Bernal.

El 12 de junio los diarios publican una lista —suministrada por el gobierno nacional— de cinco "fusilados en la zona de San Martín", con los errores que ya señalé. La noticia no dice quién los detuvo, quién ordenó matarlos y por qué, no alude siquiera a la fuga de los otros siete. Interesante precaución.

Pero Fernández Suárez se ve obligado a hablar. Hay quienes se preguntan por qué no estaba en Jefatura al iniciarse el asalto, por qué dejó el edificio desguarnecido, por qué regresa sólo cuando la situación está definida. Algunos insinuarán que el jefe de Policía jugó a dos puntas esa noche y que los fusilamientos que luego ordenó fueron su coartada. Él reúne a los periodistas y les explica, según los diarios platenses del 11 y 12 de junio:

"En esa resistencia medió una circunstancia afortunada, como es el hecho de que me encontrara fuera del Departamento. En la emergencia había viajado hasta la localidad de Moreno, donde la explosión accidental de una bomba permitió descubrir en una quinta perteneciente al ingeniero Sarrabayrouse, de filiación peronista, un arsenal en el que secuestramos 31 bombas de tiempo, de gran poder. Me hallaba en ese procedimiento, el día sábado, cuando me enteré de que en una casa de departamentos de Vicente López se había realizado una reunión clandestina, entre los que se sindicaba al general Tanco.

"El procedimiento permitió detener a 14 personas, pero el citado militar no fue capturado. *Siendo las 23 horas y hallándome en esta casa,* me enteré de la sublevación en la Escuela de Mecánica y en Santa Rosa".

Ni una palabra sobre el destino ulterior de esas personas. ¿Quién iba a relacionar a un grupo de "fusilados en la zona de San Martín" con un departamento en Vicente López?

Y sin embargo, Fernández Suárez ya se está traicionando. Porque lo fundamental que dice aquí cuando todavía nadie lo acusa, es que detuvo a esas personas a las 23 horas. *Una hora y media antes de promulgarse la ley marcial.*

Parece que va a dormir tranquilo Fernández Suárez. Durante casi cuatro meses, nadie le pide cuentas.

Pero cuando estalla la bomba, no es a dos mil kilómetros de distancia, no es detrás de una frontera que se ha abierto y se ha cerrado para tres sobrevivientes.

Es en el mismo despacho del jefe de Policía.

A comienzos de octubre de 1956 el Servicio de Informaciones Navales le informa, confidencialmente, que uno de sus propios hombres ha ido a denunciarlo.

Fernández Suárez no tiene que caminar diez pasos para encontrar al denunciante. Es el doctor Jorge Doglia, jefe de la División Judicial de la policía.

—Único caso en mi jefatura —dirá luego, hondamente arrepentido, F. S.— en que un señor de la calle pasa a inspector mayor.

Eso es cierto. Para la policía, Doglia es un "señor de la calle", lo mismo que Fernández Suárez, que lo ha nombrado. Hombre de sinceras convicciones libertadoras (31 años, radical intransigente en esa época), el abogado Doglia se ha tomado en serio aquel lema fugaz del año cincuenta y cinco: "Imperio del derecho". Pero apenas asume su cargo, descubre que los detenidos que prestan declaración ante él se quejan de torturas y muestran huellas de castigos. Lleva el problema a Fernández Suárez, que primero se hace el asombrado, después se burla de él sin disimulo.

Acude entonces al subjefe de Policía, capitán Ambroggio,

y le muestra fotos de presos que, al parecer, han sido azotados con alambres. El subjefe mira las fotos con aire crítico.

—Eso no es alambre —comenta—. Eso es goma.

Ahora Doglia sabe a qué atenerse. El sistema es general, y lo único que él puede hacer es documentarlo. En agosto o setiembre conoce a Livraga. Luego acude al SIN, y su juego queda al descubierto.

Hay una escena tempestuosa entre el jefe de Policía y Doglia. Fernández Suárez lo amenaza abiertamente. El 10 de octubre Doglia reitera su denuncia, esta vez ante el ministerio de Gobierno de la provincia.

La denuncia de Doglia consta de dos partes: una se refiere al sistema de torturas; otra, al fusilamiento ilegal de Livraga. En este punto, Doglia no puede saber más de lo que el propio Livraga le dice, que han querido fusilarlo con un grupo de gente cuyos nombres ignora en su mayoría, y que él y Giunta se han salvado.

Fernández Suárez contragolpea, acusando a Doglia de "haber concurrido a un organismo ajeno a la dependencia para denunciar hechos cometidos en el seno de la policía". Se le fragua un sumario vergonzoso, con la complicidad del ministerio de Gobierno y el fiscal de Estado, doctor Alconada Aramburú. El 18 de enero de 1957 el nombre de Doglia aparecerá en los diarios, entre el de un policía borracho y un policía torturador. Todos igualmente destituidos "por causas éticas".

Pero Doglia ha hablado con Eduardo Schaposnik, representante socialista ante la Junta Consultiva, y a comienzos de diciembre, en sesión secreta, los cargos reaparecen, esta vez en boca de Schaposnik.

El 14 de diciembre es el propio Livraga quien se presenta a la justicia, demandando "a quien resulte responsable" por tentativa de homicidio y daño.

Fernández Suárez ve aparecer fantasmas. El 18 de diciembre, en un arranque de audacia, se presenta a la Junta Consultiva para rebatir a Schaposnik.

33. FERNÁNDEZ SUÁREZ CONFIESA

—*¡Aquí hay cargos* —exclamó el teniente coronel Fernández Suárez—, *pero no pruebas!*

Eran las once de la mañana del 18 de diciembre de 1956. El ministro de gobierno y los seis miembros de la Junta Consultiva de la provincia, reunidos en sesión secreta, escuchaban el informe del jefe de Policía en respuesta a las acusaciones de Schaposnik.

—Aquí se mencionan una serie de circunstancias —prosiguió con apasionado acento Fernández Suárez—, pero no se dice quién las hace, cuándo han ocurrido, qué pruebas puede haber... *¡Es necesario tener la prueba, porque si no, también habría que separar al jefe de policía!*

Lo que sucede luego es bien curioso. Hasta ese momento, en efecto, no hay pruebas del fusilamiento clandestino. No hay más que la denuncia de Livraga, contra "quien resulte responsable", y las declaraciones de Fernández Suárez, perdidas en los diarios de junio de 1956, que a nadie se le ha ocurrido buscar. Pero ahora es el jefe de policía quien, llevado por una oscura fatalidad autoacusatoria, confirma y amplía aquellas declaraciones.

Es él, pues, quien da la prueba que reclama.

Aquí quiero pedir al lector que descrea de lo que yo he narrado, que desconfíe del sonido de las palabras, de los posibles trucos verbales a que acude cualquier periodista cuando quiere probar algo, y que crea solamente en aquello que, coincidiendo conmigo, dijo Fernández Suárez.

Empiece por dudar de la existencia misma de esos hombres a los que, según mi versión, detuvo el jefe de policía en Florida, la noche del 9 de junio de 1956. Y escuche a Fernández Suárez ante la Junta Consultiva el 18 de diciembre de 1956, según la versión taquigráfica:

> CON RESPECTO AL SEÑOR LIVRAGA, QUIERO HACER PRESENTE QUE EN LA NOCHE DEL 9 DE JUNIO RECIBÍ LA ORDEN DE ALLANAR PERSONALMENTE UNA CASA... EN ESA FINCA ENCONTRÉ A CATORCE PERSONAS... ENTRE ELLAS ESTABA ESTE SEÑOR.

Existieron pues esas personas, y entre ellas estaba Livraga. Pero yo he afirmado que él detuvo a esos hombres *antes* de entrar en vigencia la ley marcial. Y para determinar la hora en que se promulgó, no me he limitado a consultar los diarios del 10 de junio de 1956, que, unánimes, informan que se anunció a las 0.30 de ese día. He ido más lejos, he buscado el libro de locutores de Radio del Estado, y lo he fotocopiado, para probar, al minuto, que la ley marcial se hizo pública a las 0.32 del 10 de junio.

Y cuando sostengo que el jefe de Policía detuvo a aquellos hombres una hora y media antes, y técnicamente un día antes, es decir a las 23 del 9 de junio, no acepte el lector mi palabra, pero acepte la del jefe de policía ante la Junta Consultiva:

> A LAS 23 HORAS ALLANÉ EN PERSONA ESA FINCA...

Y cuando digo que esos hombres no intervinieron en el motín del 9 de junio de 1956, extreme el lector sus dudas. Pero dé crédito a Fernández Suárez cuando declara:

...ESTA GENTE... ESTABA POR PARTICIPAR EN ESTOS ACTOS...

Estaba. Es decir, no había participado.

He dicho, asimismo, que aquellos hombres no opusieron resistencia. Y dice Fernández Suárez:

...NO TUVIERON TIEMPO DE RESISTIRSE...

Porque no tuvieron tiempo, o porque no pensaron hacerlo, lo cierto es que no se resistieron.

No quiero que se me acuse de extractar jesuíticamente la parte del informe de Fernández Suárez que se refiere al caso Livraga y de hacerlo decir lo que no dijo. La voy a reproducir íntegra porque constituye, más que una defensa, la prueba que él exigía.

> Con respecto a este señor Livraga, quiero hacer presente que en la noche del 9 de junio recibí la orden de allanar personalmente una casa donde se encontraba el general Tanco con los jefes del grupo que iban a atacar a la Escuela de Mecánica. A las 23 horas allané en persona esa finca. Me atrasé media hora; si lo hubiera hecho un poco antes, lo hubiera tomado preso al general Tanco. En esa finca encontré a catorce personas, que no tuvieron tiempo de resistirse —estaban armados con pistolas Colt— porque entramos por las puertas y ventanas. Entre ellos estaba ese señor. Cuando me enteré de lo que ocurría en La Plata, me trasladé a la Jefatura y puse a estos señores a disposición del comisario. Esa madrugada el Poder Ejecutivo ordenó el fusilamiento de esta gente que estaba por participar en estos actos o había asumido alguna actitud revolucionaria.

Se observará que, aparte de los puntos de coincidencia, aparecen las primeras disidencias. Carecen de valor desde el punto de vista legal. Cabe señalar, sin embargo, que el jefe de Policía de la provincia no ha encontrado hasta ahora, ni va a encontrar, testigos que hayan visto al ex general Tanco dentro de esa casa. Ni ha demostrado, ni podrá demostrar, que esos hombres estaban armados con pistolas Colt. Porque aquí sí —repitiendo su afortunada expresión— hay cargos, pero no pruebas.

> Este señor, prosiguió Fernández Suárez, se fugó de la policía. Posteriormente, el padre envió un telegrama al Presidente de la República, diciendo que su hijo estaba internado en un hospital, gravemente herido por la policía. Si la policía lo hubiera querido ultimar, no lo hubiera dejado herido, ya que había un decreto de fusilamiento. En consecuencia, él se escapó. Después, en esa noche de confusión, no se sabe dónde actuó. Él puede decir que la policía lo ha herido, pero llama la atención que existiendo una orden de fusilamiento, no lo hubieran ejecutado.

La versión que da Fernández Suárez sobre el caso particular de Livraga es simplemente pueril. Pretende hacer creer que no se lo fusiló. Pero contra la sola palabra de Fernández Suárez se alzan no sólo la abrumadora evidencia circunstancial, que incluye las cicatrices de Livraga, el recibo expedido a su nombre por la U. R. San Martín que obra en el expediente judicial y las declaraciones de médicos y enfermeras que lo atendieron en el policlínico San Martín la mañana del 10 de junio, sino los testimonios de los restantes sobrevivientes.

Lo importante es que en base a la propia confesión de Fernández Suárez queda DEFINITIVAMENTE PROBADO:

1. Que el 9 de junio de 1956 detuvo personalmente a un grupo de hombres entre los que estaba Livraga.

2. Que la detención de esos hombres se produjo a las 23 horas del 9 de junio, es decir una hora y media antes de promulgarse la ley marcial.

3. Que esos hombres no habían participado en el motín.

4. Que esos hombres no opusieron ninguna clase de resistencia al arresto.

5. Que a la madrugada esos hombres fueron fusilados, "por orden del Poder Ejecutivo", según Fernández Suárez.

34. EL EXPEDIENTE LIVRAGA

Los hechos que relato en este libro fueron sistemáticamente negados, o desfigurados, por el gobierno de la Revolución Libertadora.

La primera versión oficial es el telegrama dirigido al padre de Livraga, el 12 de junio de 1956, por el jefe de la Casa Militar, capitán Manrique, donde se dice que Juan Carlos fue "herido durante tiroteo".

Ya vimos en qué consistió ese tiroteo.

Fernández Suárez pretendió que Livraga no había sido fusilado, ni siquiera herido.

En el sumario fraguado contra el doctor Doglia, el ministerio de Gobierno de la provincia alegaba que Livraga huyó "momentos antes de su ejecución" y añadía con verdadero candor: "siendo incierto que se le hicieran disparos de ninguna naturaleza".

Ese mismo sumario admite después que Livraga "presentaba lesiones", pero las toma como "evidencia de su activa participación en el movimiento revolucionario".

Era una bonita manera de invertir la prueba. Las heridas de Livraga no probaban que hubiera sido fusilado, sino que era un revolucionario...

Hubo otras argucias, desmentidas, comunicados. Los destruí uno a uno en la campaña periodística. Su análisis es ya innecesario.

La prueba reunida en varios meses de investigación me permitió acusar a Fernández Suárez de asesinato, cosa que hice hasta la monotonía, sin que se dignara querellarme.

Había algo, sin embargo, que faltaba en esa prueba, y era el expediente instruido en La Plata por el juez Belisario Hueyo, a raíz de la denuncia de Livraga.

Conocía el tenor general de ese expediente, pero sólo tuve en mis manos una copia fotográfica cuando estaba publicada la primera edición de este libro (1957).

Pude entonces confrontar las dos investigaciones, la que hizo el juez y la que hice yo. Prácticamente se superponen y se completan. En algunos aspectos, la mía era más detallada: abarcaba declaraciones firmadas por los sobrevivientes. Troxler, Benavídez y Gavino, que estaban en Bolivia y a quienes el doctor Hueyo no pudo tomar declaración; interrogatorios a Horacio di Chiano, Torres, "Marcelo", docenas de testigos menores que no pasaron por el despacho judicial; y una copia fotostática del libro de locutores de Radio del Estado, estableciendo la hora en que se promulgó la ley marcial.

En otros aspectos, el expediente Livraga va más lejos de lo que yo hubiera podido imaginar. Además de ser la historia oficial del caso, contiene las confesiones de los ejecutores materiales.

Es ese expediente, pues, el que a partir de la segunda edición (1964) invoco como prueba.

Mi experiencia personal con los jueces, en cuanto periodista, no ha sido alentadora. Podría nombrar a una docena a quienes conozco como individuos facciosos, ineptos o simplemente corrompidos. Prefiero señalar como ejemplo de decisión, rapidez y eficacia la actuación que tuvo en este caso el juez Hueyo.

Es un verdadero modelo de investigación. Honra a la justicia de este país.

El expediente Livraga se inicia el 14 de diciembre de 1956, con su denuncia ante el juez doctor Viglione, quien cinco días más tarde por razones de competencia, la remite al doctor Hueyo.

Es un relato circunstanciado de su detención, traslado a la U. R. San Martín, frustrado fusilamiento, breve paso por el policlínico San Martín, encarcelamiento en Moreno, curación en Olmos. Incluye una evidencia material: un papelito cuadrado fechado el 10 de junio de 1956 en la U. R. San Martín, donde con la firma de tres oficiales consta que esa noche le quitaron a Livraga "un reloj marca White Star, llavero, diez pesos y un pañuelo".

La denuncia contiene tres errores, que iban a dificultar la investigación del juez (y la mía propia). Dice que fueron cinco los detenidos en el departamento del fondo de la casa de Florida, cuando eran por lo menos ocho. Dice que eran diez los que llevaron a fusilar en el carro de asalto, cuando eran por lo menos doce. Afirma que fueron dos (él y Giunta) los sobrevivientes, cuando en realidad fueron siete. De los demás sólo conocía a Vicente Rodríguez, que ha muerto. Y sobre los ejecutores, únicamente sabe que eran policías de la provincia.

La descripción de lugares y de hechos, en cambio, tiene una fotográfica exactitud.

El 24 de diciembre el doctor Hueyo dicta las primeras providencias: preguntar por exhorto al jefe de la Casa Militar "en base a qué informes fue redactado el telegrama" donde se afirma que Livraga fue herido durante un tiroteo; librar oficio al jefe de Policía para que informe si Livraga estuvo detenido a mediados de junio en la U. R. San Martín y en Moreno, luego en Olmos "y a disposición de qué juez se encontraba"; solicitar los mismos informes al jefe de la U. R. San Martín, al comisario de Moreno, al director del penal de Olmos; y finalmente preguntar al policlínico de San Martín si Livraga fue atendido allí (fojas 26).

El jefe de la Casa Militar, capitán Manrique, era un hombre ocupado: no contestó nunca. Fernández Suárez, solamente lo hará un mes más tarde cuando se haya asegurado la complicidad del gobierno central.

En cambio la respuesta de la U. R. San Martín llega en seguida: "A ordenado fecha informo esta no existe constancia detención Juan Carlos Livraga". Firma el telegrama (fs. 27) O. de Bellis, que ha reemplazado a Rodríguez Moreno en la jefatura de la unidad.

El nuevo comisario de Moreno, por su parte, responde con un despacho sibilino: "Referente denuncia 3702 interpusiera Juan Carlos Livraga infórmole S. S. esta dependencia no existen constancias libros motivo detención nombrado". Firma F. Ferrairone.

Réplica del juez:

> No habiendo informado el comisario de policía de Moreno si permaneció o no detenido Juan Carlos Livraga en esa comisaría, líbresele nuevo oficio para que con carácter de urgente informe concretamente si el nombrado Juan Carlos Livraga a mediados del mes de junio ppdo., permaneció detenido en esa dependencia, caso afirmativo fechas de ingreso y de egreso, y a disposición de qué juez se encontraba.

La comisaría de Moreno insiste en su ignorancia: "Referente detención Juan Carlos Livraga informo S. S. esta dependencia no existen constancias libros su detención. Ferrairone".

¿Era falso entonces el relato del presunto fusilado? La duda empieza a disiparse a fojas 29, cuando el doctor Marcelo

Méndez Casariego, del policlínico San Martín, responde por nota:

> Con referencia a su telegrama de fecha 24 del corriente solicitando antecedentes del Sr. Juan Carlos Livraga, esta intervención comunica a Ud. que el citado señor fue traído a la guardia el día 10 de junio del año actual, a las 7.45 horas, haciéndose cargo de su custodia la Unidad Regional de San Martín, de la policía de la provincia de Buenos Aires, quien lo retiró a las 21 horas del mismo día.

Pero tampoco mentían De Bellis ni Ferrairone. En los libros de San Martín y de Moreno no figuraba la detención de Livraga o sus compañeros, por el simple motivo de que no se llenó esa formalidad de darles entrada, sin la cual una detención se convierte en un simple secuestro. Toda la operación lleva, pues, el sello imborrable de la clandestinidad.

Al responder, en nombre de Aramburu, a una de las desesperadas cartas que el padre de Livraga le envió cuando ignoraba el paradero de su hijo, el secretario general de la presidencia, coronel Víctor Arribau, le había informado por telegrama del 29 de junio de 1956: "Con carácter urgente se inicia investigación". Ahora el juez Hueyo, a fojas 32, ordena librar exhorto para que el coronel Arribau informe sobre el "resultado de la investigación a que alude en el telegrama que obra a fs. 8, y en caso de ser posible remitir el sumario ad effectum videndi".

La respuesta, desde luego, no vino jamás. Pero entretanto la campaña periodística que yo acababa de iniciar produjo su primer resultado. La denuncia de Livraga había llegado a mis manos el 20 de diciembre. La entregué a Leónidas Barletta, quien la publicó en "Propósitos" el día 23. La intervención en la provincia y el jefe de Policía se creyeron obligados a lanzar un detonante comunicado, que publicaron los diarios del 27 y el 28. El juez Hueyo no dejó perder la oportunidad. A fojas 33 dispone: "Atento a lo manifestado por el señor jefe de Policía, según suelto aparecido en el diario 'El Plata' del 28 de diciembre, en el sentido de que él mismo (Juan Carlos Livraga) fue detenido por su participación en los hechos subversivos del día 9 de junio ppdo. en San Martín; se comprobó que era integrante del grupo de personas que recibían órdenes del ex general Tanco y que se hallaban comprendidas en las disposiciones de la ley marcial; solicítese del señor jefe de Policía haga conocer ante qué juez se instruyó el sumario correspondiente".

Fernández Suárez no contestó. Él había sido el único juez.

A fojas 35, por primera vez, la policía provincial responde a un requerimiento del juzgado. La División Documentos remite el prontuario de Livraga donde consta que fue detenido el 9 de junio de 1956, *un día antes de promulgarse la ley marcial.*

Entretanto, el coronel Aniceto Casco, director general de establecimientos penales, da una nueva confirmación del relato de Livraga al informar que "ingresó a la Unidad 1 (penal de Olmos) el 3 de julio de 1956".

El 8 de enero de 1957 comparece ante el juzgado el comisario Ovidio R. de Bellis. El sucesor de Rodríguez Moreno en la U. R. San Martín, declara que no sabe nada de lo sucedido, porque no estaba allí en esa fecha, y reafirma que en los libros de la Unidad no figura la detención de Livraga.

El juez le muestra el recibo. De Bellis pretende que ese formulario "no es el que usualmente se utiliza como recibo de efectos de los detenidos" y que "no puede manifestar a quienes pertenecen las firmas que lo suscriben". Interrogado sobre los fusilamientos, responde que "estará en mejores condiciones de informar al juzgado la persona que en la fecha era jefe de la Unidad Regional, señor Rodríguez Moreno".

Al salir del despacho del juez, de Bellis se cruza con alguien que está en inmejorable situación para confirmar o desmentir la denuncia de Livraga. Es Miguel Ángel Giunta, el segundo sobreviviente, quien al fin se decide a hablar.

El relato de Giunta es aun más preciso que el de Livraga. Refiere las circunstancias que lo llevaron al departamento de Horacio di Chiano, el allanamiento, que sitúa a las 23.15 o 23.30 del 9 junio. Describe, sin nombrarlo, a Fernández Suárez: "una persona gruesa, es decir fuerte, de bigote, bastante cabello, y que vestía un pantalón arena y una chaqueta corta tipo campera, color verde oliva; esa persona llevaba en la mano una pistola 45 y previa advertencia de que levantaran todos las manos le colocó la boca del arma en la garganta al que declara y le reiteró: 'Arriba las manos, no te hagás el piola'". Hay golpes en el estómago y en la cadera, después el traslado a la Unidad, donde lo interroga un oficial "que no ha llegado a los 30 años, gordito, de pelo enrulado, de bigote a la americana". Supervisa los interrogatorios el subjefe, de apellido Cuello, "una persona de baja estatura que camina encorvado y con las manos atrás". Giunta identifica también a Rodríguez Moreno, de los detenidos recuerda naturalmente a don Horacio, a Vicente Rodríguez, a Livraga y a "una persona de apellido Brión o Drión". Relata el viaje hasta el basural, el descenso en la noche, los preparativos de la ejecución:

> ... así caminaron veinte o treinta metros y luego los custodias se quedaron atrás y se les obligó a que siguieran en la misma dirección ... fue entonces que todos tuvieron la certeza de que iban a ser muertos ... al tiempo que los faros de la camioneta los iluminaban ... se dieron cuenta de lo que ocurriría y hubo escenas de pánico entre todos, llegando algunos a arrodillarse y a pedir que por piedad no los mataran ...

Relata la fuga entre las balas, la forma en que se salvó y cómo volvieron a detenerlo. Luego describe minuciosamente los lugares donde estuvo: la comisaría de Munro, la Unidad Regional y la 1ª de San Martín, el calabozo donde lo encerraron, hasta el perro que adiestraban en la cuadra.

A fojas 42 se presenta a declarar espontáneamente el teniente de fragata Jorge R. Dillon, que hasta poco tiempo antes era interventor en la obra social de la policía. He aquí su relato:

> Que en la madrugada del 10 de junio último, aproximadamente a las 0.45 horas, el declarante se encontraba en su domicilio, que está ubicado frente al departamento de policía, y al escuchar el tiroteo con que empezó el asalto a dicha dependencia, el que habla, arma en mano, se internó en el Departamento y desde allí colaboró en la defensa del mismo ...; que de esa manera se encontró presente en el asalto a que ha hecho referencia y participó de la represión del mismo; que cuando ya se había sofocado el movimiento en cuanto al ataque a la Jefatura, siendo pasadas las 4 de la madrugada, llegó el jefe de Policía conjuntamente con los cadetes de la escuela Vucetich y demás personal, y los que habían defendido el edificio descendieron la escalinata, donde ocurrió el encuentro con los recién llegados, intercambiándose impresiones y relatos sobre los hechos ocurridos, ... en esa oportunidad el que habla oyó decir al señor jefe de Policía teniente coronel Desiderio Fernández Suárez, dirigiéndose no recuerda el deponente si al señor Gesteira u otro funcionario, textualmente las siguientes palabras: 'Transmita la orden a la Unidad Regional de San Martín para que se fusile de inmediato a ese grupo de personas que yo he detenido', siendo la orden transmitida por radio.

Agrega luego el teniente Dillon:

Horas más tarde, encontrándose el declarante en la secretaría de Jefatura, escuchó el comentario de que tal orden había sido cumplida, pero que se lo había hecho en forma deficiente, pues se había llevado al grupo de detenidos a un descampado y allí algunos habían logrado darse a la fuga, y la policía se había visto obligada a tirarles mientras corrían, no habiendo podido hacerlos formar ante el pelotón de fusilamiento, como es de rigor; según el mismo comentario, aquello había resultado de tal forma «una carnicería», y al tener conocimiento de tal hecho el jefe de Policía mostró indignación por la incapacidad demostrada y pocos días después fue declarado en disponibilidad el entonces jefe de la unidad, Rodríguez Moreno.

Después de esta declaración, el juez consideró oportuno comunicar a Fernández Suárez "el motivo por el cual se instruye la presente causa en este juzgado, solicitándole a la vez se sirva hacer saber por informe escrito cuanta información juzgue conveniente".

Fernández Suárez, que ante la Junta Consultiva había pronunciado treinta mil palabras de descargo, ahora no encuentra una frase de respuesta.

El juez: "No habiéndose recibido el oficio librado a fs. 26 al señor jefe de Policía, reitérese".

Silencio.

A fojas 51, el 11 de enero de 1957, comparece citado, el nuevo comisario de Moreno, Francisco Ferrairone. Ratifica que en los libros de esa comisaría no figura la detención de Livraga, pero que "ante el pedido de informes del Juzgado, la reiteración del mismo e informes que igualmente le solicitara la jefatura de Policía, indagó entre el personal de la dependencia si los libros reflejaban fielmente la verdad, y pudo averiguar que no era así, pues se le informó que el tal Juan Carlos Livraga había estado efectivamente detenido en esa dependencia, o por lo menos alojado y no se había registrado ni su entrada ni su salida en los libros...".

El frente policial empieza a derrumbarse. "Esta información extraoficial", aclara con prudencia el comisario Ferrairone, "la recibió el testigo con posterioridad a las contestaciones al pedido de informes que remitiera al Juzgado, y de no ser así hubiera informado en forma distinta a la que lo hizo".

—¿Quién estaba en Moreno en el mes de junio? —pregunta el doctor Hueyo.

—El comisario Gregorio de Paula —dice Ferrairone.

A fojas 53 declara el oficial principal Boris Vucetich, de la comisaría de Moreno. El juez le pregunta si vio allí a Livraga:

—Sí —dice el oficial—. Tenía dos heridas de bala, una con orificio de entrada debajo de la mandíbula y orificio de salida en el pómulo, y otra en el brazo.

La historia que le ha contado Livraga a Vucetich es la misma que contará meses más tarde: "que se encontraba en casa de un amigo escuchando la pelea de Lausse, cuando fueron sorprendidos por la policía vestida de civil y llevados a la Unidad Regional San Martín, que después de ser interrogados él y otras personas detenidas fueron cargadas en un vehículo y trasladadas a un lugar que no puede ubicar, allí se les hizo descender, se les ordenó caminar, sintió unos disparos, se arrojó al suelo y luego perdió el conocimiento...".

En otros detalles, Vucetich no parece de acuerdo con Livraga. Dice que diariamente concurría a atenderlo el médico de policía doctor Carlos Chiesa. Singular médico —de todas maneras— éste que permite que un herido grave de bala se cure en un calabozo.

Declara a continuación el subinspector Antonio Barbieri, de la comisaría de Moreno. Su testimonio es una repetición del anterior. La idea general es que Livraga estuvo muy bien atendido en Moreno, con un régimen alimenticio especial, y tantas mantas para abrigarse, que no podía moverse. El fusilado sobreviviente insistió siempre en que lo tuvieron semidesnudo en el calabozo y que la venda que llevaba se le cayó a pedacitos...

El comisario Gregorio de Paula, a fojas 55 y siguientes, admite que Livraga estuvo preso en Moreno, que venía herido, que no se le dio entrada en los libros.

—¿Es usual eso? —pregunta el juez.

El comisario reconoce que no es usual, pero que en "este caso excepcional" él entendió que ya le habían dado entrada en la U. R. San Martín.

¿Estuvo bien atendido Livraga? Espléndidamente, dice el comisario. Hasta le daban "alimentos que no requerían ser masticados".

¿Pasó frío Livraga? No, dice el comisario, "en sus recuerdos se le aparece envuelto con algo de abrigo, pero no puede precisar qué ropa era".

—¿Le tomaron declaración?

—No.

—¿Le hicieron sumario?

—No.

—¿Fue alguien a visitarlo?

—No.

17 de enero. Es un hombre abatido y sombrío el que acude a declarar. Tiene 48 años, es inspector mayor, se llama Rodolfo Rodríguez Moreno. Su testimonio cierra prácticamente el caso. Helo aquí:

Preguntado por S. S. si en el mes de junio ppdo., se encontraba a cargo de la Unidad Regional San Martín, contesta: que efectivamente, fue designado en tal cargo en febrero del año

1956 y permaneció desempeñando el mismo hasta aproximadamente el 15 de junio del mismo año. Preguntado por S. S. si estuvo bajo sus órdenes en condición de jefe de la Unidad Regional un procedimiento realizado por una delegación que detuvo a Juan Carlos Livraga, a Miguel Angel Giunta y a otras personas, contesta el declarante: que ese procedimiento no lo realizó el que habla, sino que recuerda que se recibió por radio una comunicación de Jefatura de Policía para que se concentrara en la comisaría de Florida un grupo de 20 hombres que actuaría bajo las órdenes del propio jefe de Policía, habiendo tenido conocimiento por el comisario de la seccional de Florida, de apellido Pena, que el mando de ese grupo lo tomó el mencionado señor jefe junto con otros militares, entre los que se encontrarían un mayor y un capitán de apellido San Emeterio. Preguntado por S. S. si las personas que se detuvo en ese procedimiento fueron alojadas como tales en la Unidad Regional San Martín, contesta el declarante: que efectivamente a las 24 horas o quizá algo más tarde, se refiere al día 9, en un automóvil colectivo fueron trasladadas a la Unidad Regional de San Martín aproximadamente 12 personas y luego ingresaron dos o tres más, que fueron detenidas en la calle en el lugar del procedimiento. Preguntado por S. S. si recuerda los nombres de esas personas, contesta que no lo puede precisar, por no registrarlo en su memoria, y a otra pregunta responde: que efectivamente entre ellas se encontraban Livraga, Giunta y una persona de apellido extranjero que luego se alojó en una embajada, le parece al declarante que era un apellido parecido a Carnevali. Preguntado por S. S. si se registró el ingreso de esos detenidos en los libros de la dependencia, contesta el declarante que supone que la oficina de guardia ha de haberlo hecho, que en realidad aquellos se encontraban en una situación especial pues, según la comisaría de Florida, debían quedar todos incomunicados, a disposición del señor jefe de Policía. Preguntado si fueron interrogados por el declarante, manifiesta que no lo hizo, que no cree que se les tomara declaración formal, pero que él le ordenó al segundo jefe de la unidad, comisario inspector

Benedicto Cuello, que los interrogara sobre los hechos, pues por informaciones que habían sido suministradas al declarante, tales personas habrían sido detenidas mientras formaban parte de una reunión vinculada a los hechos subversivos ocurridos esa noche. Preguntado por S.S. si el declarante recibió orden de fusilar a todos los detenidos, manifiesta el declarante: que a las tres personas que fueron conducidas con posterioridad y que fueron detenidas en la calle, el que habla las puso por su propia cuenta en libertad por no haber mérito para que estuvieran detenidas, recordando entre ellas a un chófer de plaza que es conocido por la comisaría de Boulogne, un sereno italiano de 56 años que prestaba servicios en una fábrica cerca del lugar del procedimiento y a la otra persona no la recuerda, y en cuanto a las demás, efectivamente recibió por radio de la policía la orden terminante impartida personalmente por el señor jefe de Policía de proceder de inmediato al fusilamiento de todas las personas que habían sido llevadas detenidas, tal orden como lo dice fue impartida por radio directamente desde el jefe de Policía en persona hasta el que habla, en persona también. Preguntado por S. S. si recibió también instrucciones sobre el lugar en que ese fusilamiento debía efectuarse, contesta: que no recibió órdenes precisas en ese sentido sino solamente buscar un descampado apropiado para hacerlo. Preguntado por S. S. la hora en que recibió la orden, manifiesta que aproximadamente a las 4.30 de la mañana. Preguntado por S. S. si el declarante dirigía personalmente el procedimiento que se le ordenara, manifiesta: que efectivamente los agentes de policía encargados del fusilamiento, se encontraron bajo sus órdenes directas y personales. Preguntado por S. S. en qué forma se realizó, manifiesta: que los detenidos fueron cargados en un carro de asalto, cada cual con su correspondiente custodia, y en una camioneta que seguía al mismo se trasladó el que habla, el segundo jefe y un oficial que cree es de apellido Cáceres. Que se trasladaron hacia un terreno baldío existente a 20 cuadras de la ruta 8, en el camino que une dicha ruta con la localidad de Boulogne, y allí se detuvieron los vehículos, descendiendo el que habla para buscar un lugar apropiado, con las dificultades consiguientes en razón de la falta de luz, y que al advertir un grupo de eucaliptus allí existente consideró que ese lugar sería eficaz al efecto buscado, que en tal momento llamó a 4 ó 5 agentes para formar el pelotón, y al quedar así debilitada la guardia y sospechando los interesados con qué fines se les había llevado al lugar, todos ellos se dieron a la fuga con excepción de cinco que quedaron en el vehículo. Preguntado por S. S. si entre esos cinco se encontraban Livraga y Giunta, manifiesta el declarante que no es posible porque de ser así habrían sido rigurosamente fusilados y le consta al declarante que fueron cinco los cadáveres que quedaron en el lugar. Continúa relatando que después de la fuga a que ha hecho referencia, se hizo descender a las cinco personas en cuestión y por parejas se les sometió al fusilamiento,* quedando sus cuerpos en el lugar; posteriormente el que habla pidió instrucciones respecto al destino que había que darle a esos cuerpos, manifestándosele que debía remitirlos al Policlínico más próximo, y como lo era el de San Martín los cinco cuerpos de las personas en cuestión fueron remitidos a aquel lugar. El que habla había recibido como plazo máximo para ejecutar la orden la hora 6 de esa mañana, y aproximadamente a esa hora el que habla comunicó por radio a jefatura que la orden de fusilamiento había sido cumplida sin especificar si los fusilados eran todos o solamente cinco como ocurrió. Agrega el declarante que la misión encomendada era terriblemente ingrata para el que habla, pues salía de todas las funciones específicas de la policía, pero como en caso de conmoción entiende el declarante que la policía deja de depender de la jefatura para estar a las órdenes directas del Ejército, tenía la plena seguridad que en caso de desobedecer tal orden el fusilado sería el declarante. Preguntado por S. S. cuándo informó a jefatura la forma incompleta en que se había cumplido la orden recibida, dice el compareciente que cuando comunicó aproximadamente a las 6 de la

* En este punto la versión de Rodríguez Moreno difiere de la que doy en el texto, fundada en el testimonio de seis de los siete sobrevivientes.

mañana que la orden se había cumplido, su comunicación ignora quién la recibió, informándosele que el jefe ya se había retirado; posteriormente recibió instrucción de remitir la nómina de los fusilados y en contestación a ello remitió los cinco nombres de las personas que habían sido muertas; a raíz de ello fue llamado a jefatura a dar explicaciones y el declarante relató fielmente la forma en que habían ocurrido los hechos, asumiendo personalmente la responsabilidad de la fuga de los otros siete detenidos, pues no le pareció que correspondía delegar esa responsabilidad en los agentes que habían quedado de custodias de los detenidos; por tal motivo fue tratado rigurosamente por el señor jefe de Policía, y dio ocasión a que éste ordenara su inmediato relevo, habiendo quedado en disponibilidad más de 20 días. Seguidamente se explica al declarante en términos generales la versión que contiene la denuncia de Livraga y la declaración de Giunta, manifestando el que habla que lo que ha declarado en esta audiencia es la absoluta verdad, que no es posible que Livraga haya sido herido en esa oportunidad pues lo que se utilizó como arma fue un máuser y su proyectil hubiera destrozado totalmente la mandíbula de Livraga;* por otra parte, vuelve a repetir, las personas que quedaron sin fugar fueron cinco, y el que habla puede afirmar categóricamente que cinco fueron los cadáveres remitidos al policlínico San Martín. Preguntado por S. S. si se disparó el tiro de gracia contra los fusilados, manifiesta el declarante que por humanidad y como es de práctica dio la orden de hacerlo y se cumplió, y ese tiro fue efectuado con pistola 45 que es la única arma que actualmente posee la policía. Preguntado por S. S. a qué hora se produjo el retiro de los cadáveres, contesta el compareciente que a su vuelta de la ejecución, calcula

* La opinión de R. Moreno es errónea. El proyectil en efecto destrozó la mandíbula de Livraga, pero además Julio Troxler lo vio caminar herido, a ocho cuadras del basural, en el paso a nivel de José León Suárez, donde lo recogió un oficial de policía. Di Chiano y Benavídez lo vieron bajar en el lugar del fusilamiento. Troxler señala hasta el lugar exacto que ocupaba en el carro de asalto y también lo vio bajar. Es inverosímil que Livraga, después de haberse salvado, haya corrido a hacerse balear en otra parte, como parece insinuar R. Moreno, y como ha pretendido F. Suárez.

que aproximadamente serían las 6 de la mañana, el que habla se comunicó por radio con la jefatura y le manifestó que la orden había sido cumplida y pidió instrucciones respecto al destino de los cadáveres, fue atendido por una persona de la secretaría de la jefatura y ésta le hizo saber que la orden del jefe era que se llevaran al policlínico más próximo y de inmediato el dicente dispuso que volviera al lugar el carro de asalto, cargaran los cadáveres y los depositaran en el policlínico San Martín, que era el más cercano. Preguntado por S. S. si después del episodio a que se ha hecho referencia anteriormente dispuso la nueva detención de Juan Carlos Livraga, contesta que efectivamente así fue, que se enteró que el nombrado estaba en el policlínico San Martín y al concurrir en su busca en ese establecimiento se informó que sus heridas permitían su traslado, y el declarante dispuso quedara alojado en la comisaría de Moreno en razón de que en la Unidad Regional no hay lugar para detenidos y en las otras comisarías de San Martín no había lugar disponible. Preguntado por S. S. cómo se explica que en los libros de la Unidad Regional de San Martín no se registre ninguna de las dos detenciones, manifiesta el declarante: que no tiene explicación que dar, ya que es corriente que toda entrada de un detenido quede debidamente registrada en los libros. Preguntado por S. S. si recibió orden expresa de que en este caso no se siguiera lo que los reglamentos disponen a ese respecto, dice el declarante: que en ningún momento se le dio orden o instrucciones de no registrar el ingreso como detenidos de las personas en cuestión. Preguntado por S. S. si tuvo alguna intervención en la segunda detención de que se dice objeto Giunta, y que fuera trasladado a la Unidad Regional de San Martín el día lunes subsiguiente, manifiesta el declarante: que no recuerda que Giunta haya estado detenido por segunda vez en la Unidad Regional, aun cuando ello no importa descartar la posibilidad. Seguidamente se pone de manifiesto al declarante la fotocopia* obrante a fs. 1, a fin de que manifieste

* El recibo que le dieron a Livraga.

si es auténtico, respondiendo que como la Unidad no tiene detenidos normalmente, carece de formularios apropiados para dar recibo de los efectos a las personas que quedan alojadas como detenidas, y es posible que la fotocopia que se le muestra sea la de un formulario que se utiliza a esos efectos; en cuanto a las firmas que la suscriben, no las conoce, creyendo que la que figura en la parte inferior es la de un oficial de apellido Albarello. No habiendo otras preguntas que formular se da por terminado el acto y leída que le fue la presente se ratificó de su contenido y firmó de conformidad después de S. S. y por ante mí, de lo que doy fe.
Firman Hueyo, Rodríguez Moreno, el secretario Paladino, fojas 58 y siguientes en la causa criminal número 3702 instruida ante el juzgado de 1ª instancia en lo penal número 8 de la ciudad de La Plata.

Éste, pues, es el documento al que tiene que responder, y no responderá jamás, la revolución libertadora.

Prueba todo lo que afirmé en mis artículos de "Mayoría" y en la primera edición de este libro: que se detuvo a un grupo de hombres antes de entrar en vigencia la ley marcial; que no se les instruyó proceso; no se averiguó quiénes eran; no se les dictó sentencia; y se los masacró en un descampado.

Sobre la amplia brecha abierta en la negativa oficial, se lanza el doctor Hueyo. Está fresca todavía la tinta de la firma de Rodríguez Moreno, cuando el juzgado dispone:

1°) Cítese al segundo jefe de la Unidad Regional de Mar del Plata, comisario Benedicto Cuello, a prestar declaración el lunes 21 a las 10 horas; 2°) Cítese al señor médico de policía de la comisaría de Moreno doctor Chiesa a prestar declaración el mismo día lunes a las 9.30 horas; 3°) Constitúyase el juzgado el día martes 22 en la Unidad Regional de San Martín a fin de recibir declaración al personal de la dependencia; 4°) Seguidamente constitúyase en el policlínico de dicha ciudad para recibir declaración a médicos, enfermeras y demás personal y proceder al examen de los libros de la institución; 5°) Habilítense días y horas inhábiles para proseguir este sumario desde el día 22 en adelante.

La premura del juez estaba justificada. Fernández Suárez, acorralado después de la confesión de Rodríguez Moreno y ante el rumor (que invadió La Plata) de que era inminente su prisión preventiva, acudió en busca de ayuda a los niveles más altos de la revolución libertadora. El lunes 21 de enero de 1957, por la mañana, acompañado del interventor en la provincia coronel Bonnecarrere, solicitó audiencia al general Aramburu, y fue recibido en presencia del general Quaranta. Allí pidió y obtuvo la complicidad del presidente de la Nación.

Esa misma noche el interventor Bonnecarrere convocó a una reunión de emergencia, a la que asistió Fernández Suárez. Se fletó un avión especial para traer de la localidad de Ayacucho, donde se hallaba en esos momentos, al presidente de la Suprema Corte de la provincia, doctor Almílcar Mercader. En ese marco se discutieron prolongadamente los fusilamientos de José León Suárez, el peligro que para la revolución libertadora representaba la clara decisión del juez de establecer la verdad, y los medios con que contaba el Ejecutivo para impedirlo.

Sobre estas desesperadas maniobras, se filtró la siguiente información periodística:

> Al regreso de nuestra ciudad del interventor federal coronel Bonnecarrere, luego de su entrevista realizada en horas de la mañana con el presidente provisional de la Nación, aquél ... habríase reunido alrededor de las 20.30 en la Casa de Gobierno con sus ministros y el jefe de Policía ...
> Habría coincidido en esos instantes la visita del titular de la Su-

prema Corte de Justicia de la Provincia, doctor Amílcar A. Mercader.
Se habrían considerado en ambas oportunidades ... cuestiones vinculadas con la marcha de la repartición policial bonaerense, en relación a hechos recientes que son del dominio público. ("El Argentino" de La Plata, 22 de enero de 1957.)

"La Razón", de Buenos Aires, en un recuadro titulado "Una reunión", también se hizo eco de las diligencias, informando que se habían discutido "acontecimientos producidos el año pasado en la zona de San Martín". En estos eufemismos se agotó la libertad de prensa de que gozaba el país. La opinión pública nunca fue informada de la existencia del expediente Livraga.

El cariz que toman las cosas influye quizás en el tono con que declara el lunes 21 el ex subjefe de la U. R. San Martín, comisario Cuello. Es un testimonio desafiante, por momentos colérico. Se inicia con una mentira que, si bien es de fácil comprobación, indica que Fernández Suárez y sus secuaces comprenden ahora cuál es el nudo de la cuestión. Dice Cuello "que siendo aproximadamente las 23 horas del día 9 de junio, se le informó que se había propalado por radio la implantación de la ley marcial".

Es falso. Radio del Estado transmite a las 22.31 música de Bach; a las 22.59, de Ravel; a las 23.30, de Stravinsky, y cierra normalmente su transmisión a las 24 con su marcha característica. La reanuda imprevistamente a las 0.11 del 10 de junio, en cadena con la red oficial, transmite música ligera durante 21 minutos, y a las 0.32 en punto comienza a promulgar el texto de la ley marcial.

Prosigue Cuello:

que aproximadamente a las 0.30 hora del día 10, o más bien dicho a medianoche, fue conducido a la Unidad Regional un grupo de personas que se dijo venían incomunicadas y a disposición del señor jefe de Policía, quien habría realizado el procedimiento de su aprehensión ... Preguntado por S. S. si se registró en libros de la dependencia el ingreso de estos detenidos, manifiesta: que no se hizo así porque como venían incomunicados y a disposición del jefe de Policía, se entendió que venían transitoriamente y de paso para ser conducidos a la jefatura. Preguntado por S. S. si no es reglamentario inscribir los detenidos no bien llegan a la dependencia, contesta: que la Unidad Regional de San Martín no tiene dependencias para alojar detenidos, y cuando llegan algunos, es transitoriamente ... Preguntado por S. S. si fueron interrogados los detenidos, manifiesta el testigo: que no recuerda bien si fueron interrogados, que posiblemente se les haya formulado alguna pregunta porque no se sabía la razón de su detención, pero no recuerda si eso se consignó por escrito ... Preguntado por S. S. si puede dar los nombres de las personas detenidas, recuerda a Rodríguez, cree recordar un apellido como Brión, más bien dicho cree que el apellido era Lizazo, recuerda también con precisión que se encontraba Giunta; en cuanto a Juan Carlos Livraga, no lo recuerda ... Preguntado por S. S. qué ocurrió luego, manifiesta: que aproximadamente a las 5 de la madrugada su jefe Rodríguez Moreno le manifestó que por comunicación directa entre él y el jefe de Policía, por medio de la radio policial, había recibido orden de éste de fusilar al grupo que el jefe de Policía había detenido en Florida, que en cumplimiento de tal orden se hizo ascender a todos los detenidos a un carro de asalto, cada detenido con su correspondiente custodia. Preguntado por S. S. si venía cubierto con las correspondientes cortinas, manifiesta el testigo: que casi seguro que así era; que dicho vehículo se puso en movimiento seguido por la camioneta de la Unidad que dirigía el jefe de la Regional, lo acompañaba el dicente y no recuerda si también otro oficial u otra persona; que llegaron a un lugar descampado que al dicente no le es posible ubicar con precisión y solamente puede decir que era en jurisdicción de San Martín, que allí se detuvo el carro de asalto, quedando iluminado por los faros de la camioneta y luego se procedió al fusilamiento de los detenidos, y al hacerlo, y más bien dicho al establecerse cuántas eran las personas fusiladas, advirtieron que eran sólo cinco en vez de doce o trece que se conducía, y en ese momento advirtieron que algunos de los presos se habían dado a la fuga.

—¿Cuándo fue eso? —pregunta el juez.

Cuello lo ignora. Él concurrió solamente "como testigo y como apoyo moral (*sic*) para el jefe, que había asumido la dirección de la ejecución".

Parece obvio que cuando uno está empeñado en una tarea moral de ese calibre no puede reparar en detalles. Pero la fuga, aclara Cuello, "ha sido antes del fusilamiento".

EL JUEZ. —¿Cuántos muertos hubo?

CUELLO. —Cinco.

EL JUEZ. —¿Es posible que algunos de los que estaban frente al pelotón resultara ileso?

CUELLO. —No lo creo.

EL JUEZ. —¿Cómo se fusiló a esos cinco?

CUELLO. —No recuerdo, me parece que fue en dos grupos.

Al llegar aquí, el comisario tiene un arranque polémico, y el juez lo hace constar a fs. 62 vuelta:

"En este momento el testigo dice que considera necesario aclarar que no ve el motivo de la investigación que se hace sobre estos fusilamientos, que éstos habían sido ordenados en cumplimiento de la ley marcial, que cree recordar que la misma fue propalada como vigente la noche del 9 entre las 22.30 y 23 horas, y casi tiene la seguridad de que todos los detenidos conocían su puesta en vigor, pues hasta cree recordar que de esa circunstancia se tuvo conocimiento en la Regional por manifestaciones de los mismos detenidos."

Es risueño lo que "cree recordar" este comisario, que para otras cosas (inclusive lo que ha declarado media hora antes) resulta tan olvidadizo. Primero dice "que siendo aproximadamente las 23 horas del día 9 de junio se le informó que se había propalado por radio la implantación de la ley marcial". Luego, que los detenidos llegaron "a las 0.30 horas del día 10, o más bien dicho a medianoche". Y ahora, que son esos mismos detenidos los que han traído la noticia a la Regional, y por consiguiente a él. Pero si llegaron a las doce de la noche, ¿cómo hicieron para darle la noticia a las once?

Preguntado por el juez qué hicieron con los cadáveres, dice Cuello "que no sabe si fue inmediatamente o por disposición posterior, se condujeron a la morgue en el policlínico San Martín".

El doctor Hueyo le muestra el recibo de Livraga y le pregunta si lo reconoce. Cuello admite como "posible que ese formulario se haya llenado en la Unidad Regional".

¿Reconoce las firmas?

No reconoce.

¿Sabe que Livraga estuvo posteriormente detenido en la Unidad?

No le consta.

¿Sabe que Livraga estuvo en Moreno?

Lo ignora.

¿Sabe si se disparó el tiro de gracia contra los fusilados?

No lo puede precisar.

¿Sabe si a los ejecutados se les notificó la sentencia?

No lo sabe.

Es un tejido de imprecisiones y evasivas el testimonio de este policía que, a diferencia de Rodríguez Moreno, cree que los muertos están bien muertos y que no hay que andar averiguando tanto.

El martes 22 de enero el juez se traslada a Florida, en busca del "tercer hombre", Horacio di Chiano. No lo encuentra. Está escondido, y sólo aparecerá veinte días más tarde, cuando Enriqueta Muñiz y yo logramos hablar con él. El doctor Hueyo interroga a la esposa de Di Chiano, quien confirma el testimonio de Giunta y da una nueva descripción de Fernández Suárez, "una persona corpulenta y que vestía campera militar con pantalón de gabardina color arena y se trataba de una persona morocha y de bigotes".

El juez le pregunta qué ha sido de su esposo. Contesta "que la declarante tampoco ha visto a su esposo desde la noche de referencia, tiene la sospecha de que vive, pero a su casa no ha vuelto en ninguna oportunidad".

A fojas 69 y siguientes declaran dos vigilantes de la comisaría de Florida que actuaron en el allanamiento. Sus testimonios no agregan nada.

De Florida, el juez se dirigió a la U. R. de San Martín, donde pensaba constituir su despacho. Allí lo esperaba un radio urgente de la Jefatura de Policía informando que era requerida la presencia del magistrado en la capital bonaerense. Al llegar a La Plata, el juez conferencia con el presidente de la Suprema Corte provincial.

Los términos de esa entrevista no trascendieron, pero el juego estaba a la vista. Inmejorablemente asesorados, Bonnecarrere y Fernández Suárez encontraban la fórmula salvadora: que un tribunal militar reclamara jurisdicción sobre la causa.

Ese mismo día 22 de enero Fernández Suárez se digna responder por primera vez a los requerimientos judiciales. Su respuesta figura a fojas 71, con un sello que dice "Reservado". Reza así:

> En respuesta a sus oficios de fecha 24 y 31 de diciembre de 1956 y 10 y 11 del mes de enero en curso, relacionados con la causa

Nº 3702, caratulada "Livraga, Juan Carlos - denuncia", tengo el agrado de dirigirme al señor juez informándole lo siguiente:

1º) Juan Carlos Livraga fue condenado a la pena de muerte por decreto 10.364 del P. E. Nacional, de fecha 9 de junio de 1956, debiendo ejecutarse la pena sobre el mismo lugar de los hechos, en el partido de San Martín, de acuerdo a la ley marcial; sentencia que no pudo ser cumplida respecto del nombrado por haberse dado a la fuga momentos antes de la ejecución.

2º) Los respectivos antecedentes de ese decreto se encuentran en el Archivo de la Oficina de Decretos de la Presidencia de la Nación.

3º) No habiéndose podido llevar a cabo en su momento el fusilamiento, por la fuga del condenado, menos se pudo cumplir después de detenerlo con posterioridad por haberse levantado la ley marcial.

4º) En consecuencia, y habiendo recaído en el caso pronunciamiento definitivo, tampoco se podía dar luego intervención a ninguna otra autoridad, por cuanto había sido juzgado por esos hechos.

5º) En cambio, y por decreto Nº 11.219, fue puesto a disposición del P. E. Nacional y alojado en la cárcel de Olmos.

A mayor abundamiento, hágole saber a V. S. que la ley marcial se implantó por decreto-ley 10.362, del 9 de junio de 1956, siendo reglamentada por decreto 10.363, también del 9 de junio de 1956.

Este último decreto establece, en síntesis, lo siguiente:

1º) Durante la vigencia de la ley marcial serán de aplicación las disposiciones de la ley 13.234, de organización general de la Nación en tiempo de guerra.

2º) Todo oficial de las fuerzas armadas en actividad y cumpliendo actos del servicio podrá ordenar juicio sumarísimo con atribuciones para aplicar o no pena de muerte por fusilamiento a todo perturbador de la tranquilidad pública.

3º) Se considera perturbador a toda persona que porte armas, desobedezca órdenes policiales o demuestre actitudes sospechosas de cualquier naturaleza.

Como la causa se originaría en un pretendido fusilamiento irregular, creo oportuno recordar, en cuanto al procedimiento, que la aplicación de los bandos es en todos los casos verbal (art. 138 del Código de Justicia Militar R. L. M. 2).
De todos modos, frente al escándalo periodístico que, con fines no muy claros, se ha desatado en torno a la cuestión, conviene subrayar que la responsabilidad de las autoridades o de los encargados de la aplicación de un bando, sólo puede hacerse efectiva por los tribunales militares y no por los magistrados civiles (art. 136, Código de Justicia Militar).
Saludo a V. S. muy atentamente.
D. A. Fernández Suárez
Teniente Coronel jefe de Policía."

Todo era legal, pues. A Livraga se lo había fusilado en cumplimiento de un decreto. El pequeño detalle es que *ese decreto no existe.* O mejor dicho, existe, pero no lo afecta para nada, porque es una lista de militares condenados a muerte, y *no incluye a Livraga.*

El argumento que invoca Fernández Suárez es una burda mentira agregada a las anteriores.

En cuanto al "escándalo periodístico", era una exageración calificar así a los artículos que yo había publicado en una hojita de poca circulación, y que constituían la única referencia al tema que puede hallarse en la prensa de esa época.

El doctor Hueyo entendió que la cuestión de competencia ya quedaba planteada por la nota de F. Suárez, pero al mismo tiempo aprovechó para desmontar esa última patraña del acorralado militar. A fojas 74, dispone:

A los efectos de resolver la cuestión de competencia que se plantea, líbrese exhorto al señor juez de instrucción en lo penal en turno de la capital federal, para que requiera de donde corresponda, con carácter de urgente, copia auténtica de los decretos números 10.362, 10.363 y 10.364, como así fecha y hora exacta de su vigencia.

A fojas 82 se incorpora al expediente el Boletín Oficial del 14 de junio de 1956, con los tres decretos. El 10.362 y el 10.363, implantando y reglamentando la ley marcial, están fechados el 9 de junio, sin mención de hora, y responden a la versión que da Fernández Suárez. Pero el 10.364, fechado el 10 de junio, dice que considerando "la participación que han tenido en el levantamiento militar ocurrido en el día de ayer ... impónese la pena de muerte por fusilamiento a los siguientes individuos: Coronel (R.) Alcibíades Eduardo Cortínez, coronel (R.) Ricardo Salomón Ibazeta..." y sigue una lista de ocho militares más, entre los que, por supuesto, no aparece el nombre de Livraga ni el de sus compañeros de ejecución.

En consecuencia, el juzgado resuelve, el 28 de enero:

Agréguese al sumario el ejemplar N° 18.171 del Boletín Oficial, publicado el 14 de junio último, y resultando del mismo que no se ajusta a la realidad que por decreto N° 10.364 el Poder Ejecutivo Nacional haya ordenado el fusilamiento de Juan Carlos Livraga, como lo afirma el señor jefe de Policía en su nota de fecha 22; hágase saber al citado funcionario tal circunstancia, solicitándole que en caso de existir tal decreto, se sirva informar su número exacto ...
... Reitérense los exhortos de fs. 74, y con respecto a este último hágase saber que no interesa el texto auténtico de los decretos, sino, y con carácter de suma urgencia, fecha y hora precisa de su promulgación y publicación.

Del doctor Hueyo a Fernández Suárez, fojas 83:

Tengo el agrado de dirigirme a V. S. en la denuncia formulada por Juan Carlos Livraga, haciéndole saber que en su nota del 22 del corriente se consigna "que Juan Carlos Livraga fue condenado a la pena de muerte por decreto número 10.364 del Poder Ejecutivo Nacional de fecha 9 de junio 1956", y advirtiendo el infrascripto que en el decreto-ley citado, publicado en el Boletín Oficial N° 18.171, del 14 de junio último, no figura el nombre del denunciante Livraga; se ha dispuesto dirigir a V. S. el presente para advertirle de la información errónea, y solicitarle que en caso de existir tal decreto, se sirva hacer conocer su número exacto.

Fernández Suárez no responde. Pero el 30 de enero remite copia de la nota que acaba de elevar al ministro de Ejército, general Ossorio Arana, con el objeto, dice, de que "la justicia militar entienda en la causa que se instruye, por ser de su exclusiva competencia". La nota a Ossorio Arana reseña los antecedentes del caso (sin mentar ya el decreto número 10.364) y solicita:

a) que la justicia militar entienda en la causa que se instruye; b) que se plantee, en consecuencia, la pertinente cuestión de competencia por inhibitoria (Art. 150, inciso 1°, del Código de Justicia Militar R. L. M. 2).

El mismo día el juez militar, teniente coronel Abraham González, reclamaba la causa en estos términos:

Tengo el agrado de dirigirme a V. S., en el sumario que instruyo de orden superior, relacionado con presuntas infracciones en la aplicación de la ley marcial dispuesta por los superiores decretos números 10.362 y 10.363, a fin de solicitarle tenga a bien informar a este juzgado de instrucción militar N° 27 ... si por ante ese juzgado a su cargo ... se tramita una causa incoada con motivo de una denuncia o querella formulada por el señor Juan Carlos

> Livraga, vinculada al mismo hecho que investiga el suscripto. En caso afirmativo y, por tratarse de un hecho que cae dentro de la jurisdicción militar por "ratione materiae" como igualmente podría serlo por "ratione personae" en el supuesto de tratarse de personal militar en actividad que hubiera actuado en cumplimiento de lo dispuesto por el artículo 2° del citado superior decreto N° 10.363, dado que en tal caso sería de estricta aplicación el artículo 108, inciso 1°, del Código de Justicia Militar ... desde ya dejo planteada a V. S. la cuestión de competencia por declinatoria que determinan los artículos 150 (inciso 1°) y 151 del citado cuerpo legal.
> En consecuencia, recabo a V. S. se inhiba de continuar entendiendo en la causa aludida remitiendo lo actuado a este juzgado de instrucción militar, o, en caso de no hacer lugar a la declinatoria planteada, se eleven los autos a la Corte Suprema de Justicia de la Nación para que resuelva en definitiva la cuestión suscitada.

El 1° de febrero de 1957, el magistrado platense resuelve mantener su competencia, afirmando que, "ratione personae", es prematuro hacer lugar a la inhibitoria, porque en el estado en que se encuentra la causa no existe persona directamente imputada y el hecho, hasta ese momento, no afecta a "personal militar en actividad"; y que, "ratione materiae", tampoco hay elementos suficientes para concederla. Agrega que, al insinuarse cuestión análoga por parte del jefe de Policía, él mostró su disposición para resolver sobre su competencia,

> pese a que quien formulara la cuestión no revestía el carácter de parte, y a tal efecto dispuso, con fecha 23 de enero, librar exhorto al señor juez de instrucción en lo penal en turno en la capital federal para que requiriera, por donde corresponda, copia auténtica de los decretos números 10.362 y 10.363, como así también fecha y hora exacta de su vigencia. Tal exhorto fue reiterado con fecha 28, sin obtener contestación.

El doctor Hueyo ha comprendido de entrada que ése es el punto crucial de su investigación: la hora en que se promulgó la ley. No tuvo tiempo para obtener la prueba, que meses después, lograría yo al fotocopiar y publicar el libro de locutores de Radio del Estado. Pero el análisis que sigue me parece irrefutable:

> El objeto de la información solicitada —dice— era el de determinar si la detención del denunciante, ocurrida entre las 23.15 y 23.30 horas del 9 de junio, tuvo lugar después o antes de la vigencia de la ley marcial.
> En el primer caso, la investigación y represión del hecho consiste en haberse incurrido en infracción a la aplicación de dicha ley marcial, o a normas pertinentes del código de justicia militar, es cuestión que no compete a las autoridades civiles y, con la información requerida, el suscripto así lo habría declarado.
> Pero en el segundo supuesto, es decir, que la detención de esas personas hubiera sido anterior a la vigencia de la ley marcial, aunque el fusilamiento de ellas se dispusiera con posterioridad a la misma, esa ley no podía alcanzar a dichas personas, ya que ninguna ley penal tiene efecto retroactivo, y los interesados, cualquiera fuere su vinculación con el movimiento subversivo, al estar detenidos no tuvieron oportunidad de desistir de su actitud y de deponer armas.
> En tal hipótesis, la detención en cuestión, el posterior fusilamiento de algunas de esas personas, la tentativa de fusilamiento de otras y la nueva detención del denunciante hasta que es puesto a disposición del Poder Ejecutivo Nacional, son hechos que no están comprendidos en la ley militar o su interpretación, sino, en caso de ser debidamente comprobados, encuadrarían en las figuras del código penal, cuya aplicación compete al infrascripto. Por tales fundamentos, resuelve comunicar al requirente que el infrascripto sostiene su competencia.

35. LA JUSTICIA CIEGA

El caso fue a la Suprema Corte de Justicia de la Nación, que el 24 de abril de 1957 dictó uno de los fallos más oprobiosos de nuestra historia judicial, con la firma de todos sus miembros: doctores Alfredo Orgaz, Manuel J. Argañarás, Enrique V. Galli, Carlos Herrera, Benjamín Villegas Basavilbaso, previo dictamen del procurador general de la Nación, doctor Sebastián Soler.

Este fallo, al pasar la causa a una titulada justicia militar, igualmente cómplice y facciosa, dejó para siempre impune la masacre de José León Suárez.

Media carilla le basta al doctor Soler para dictaminar sobre los episodios que he relatado en este libro. He aquí su opinión:

> De acuerdo con las manifestaciones del denunciante, el hecho que se investiga en autos habría sido llevado a cabo por personal de la policía de la provincia de Buenos Aires.
> Ahora bien, del informe obrante a fs. 24 se desprende que en oportunidad de los sucesos del 9 de junio de 1956 las fuerzas policiales actuaron "con subordinación a las disposiciones y autoridades de carácter militar".
> En consecuencia, atento a lo que disponen el art. 108, inc. 2° y 3°, y el art. 109, inc. 6°, del Código de Justicia Militar, opino que debe declararse la competencia de la justicia militar para conocer del sub-judice, destacando, además, que esta conclusión está reforzada por el art. 136 del mismo texto legal en cuanto dispone que "la responsabilidad de las autoridades militares por los bandos que promulguen, o los encargados de

su aplicación, cuando se hubiesen extralimitado en sus funciones, sólo podrá hacerse efectiva por los tribunales militares".

Obsérvese: el dictamen no menciona siquiera la fundamental disyuntiva planteada por el doctor Hueyo. Pasa como sobre ascuas por todos los aspectos serios del problema. Se fundamenta en la pueril vaguedad de que la policía estuvo subordinada al Ejército durante los "sucesos del 9 de junio de 1956", cosa que es *falsa*, porque en la totalidad del 9 de junio, y puesto que durante ese día no se promulgó ningún decreto que modificara su situación, la policía no estuvo legalmente subordinada al Ejército, sino al ministerio de Gobierno de la Provincia. Pero que además *no tiene nada que ver*, aun siendo falsa, porque la denuncia de Livraga, que es la que se le plantea, se refiere a un delito cometido el 10 de junio, que es lo mismo que decir un día después, un año después, un siglo después. ¿O es que un célebre jurista llega a creerse un ángel, o un personaje de Wells, para jugar así con el tiempo? En media carilla, el doctor Soler se traga todo lo que durante décadas ha enseñado en sus cátedras y en sus textos.

El fallo de la Corte dice:

Autos y vistos; considerando: Que los hechos que dan lugar a esta causa se imputan a funcionarios y empleados de la policía de la provincia de Buenos Aires, que actuó en la emergencia con subordinación a las disposiciones y autoridades de carácter militar, según resulta de lo informado a fs. 24 a requerimiento de esta Corte. Surge también de los antecedentes que los mencionados hechos ocurrieron con motivo del movimiento revolucionario sofocado en aquella ocasión, es decir, en circunstancias excepcionales en que el mantenimiento del orden interno constituía función militar específica, según doctrina establecida en la fecha en la causa "Todesco, Hernando".

Que en tales condiciones y con arreglo a lo dispuesto por el artículo 136 del Código de Justicia Militar, y a lo dictaminado por el señor procurador general, corresponde declarar la competencia en la causa del señor juez de instrucción militar.
Por ello y lo dictaminado por el señor procurador general, se declara que corresponde conocer en el proceso al señor juez de instrucción militar, a quien se remitirán los autos.

Dije en la primera edición de este libro —sin que a nadie se le ocurriera querellarme por desacato— que el dictamen del procurador y el fallo de la Corte eran una siniestra corrupción de la norma jurídica. Quiero resumir, en la forma más llana, los motivos de ese "dictamen" que por mi parte me creí autorizado a pronunciar.

A un individuo, Livraga, se lo detiene un día en que están en vigencia las leyes ordinarias. No se le acusa formalmente de nada, pero todavía no hay delito en esa detención. Es cierto que le dan unos golpes; olvidémolos.

La persona que lo detiene es un funcionario civil, el jefe de Policía de la Provincia. Es cierto que ese funcionario es, *además*, teniente coronel; pero, para el caso, es como si no lo fuera; no es en cuanto teniente coronel que lo detiene, sino en cuanto funcionario civil, dependiente del ministerio de Gobierno de esa provincia.

Mientras está detenido, Livraga naturalmente no comete delito alguno. Ese día termina —como todos— a las doce de la noche. *Al día siguiente* (no importa que hayan pasado apenas 32 minutos, ya es el día siguiente, el 10 de junio), se promulga una ley, que es la ley marcial. Esa ley empieza a regir el 10 de junio. Livraga, preso desde el día antes, no la puede violar. Es como si esa ley no existiera para Livraga, ni Livraga para esa ley; son esferas que no se tocan; cualquier cosa que se le haga en nombre de esa ley, cualquier pena que se le inflija, será un delito. Livraga está ubicado en el ámbito penal anterior a esa ley; no se lo puede juzgar ni castigar sino de acuerdo con el código penal vigente en el momento de su detención, que prevé garantías, defensa, un juez natural, un proceso.

Ahora viene un señor. Es el mismo señor de antes, el funcionario civil, el jefe de Policía, que ha sufrido una transformación tipo *Doctor Jekyll and Mister Hyde*, y llega convertido en autoridad militar, para lo cual su grado de teniente coronel —que antes era indiferente— ahora le sirve. Este señor no puede ignorar que él, civil, ha detenido a Livraga, civil, y que sus relaciones están absolutamente congeladas en ese plano; que ha *detenido* a Livraga en un tiempo civil, regido por el código, y sólo puede tratar con él en ese plano; y que cualquier transgresión que él cometa a esa norma obvia tendrá que ser juzgada en ese mismo plano, que es inabandonable, o sea tendrá que ser juzgada por un juez civil. Porque ese tiempo de las relaciones civiles entre autoridad y meros ciudadanos no se extingue al ocurrir una subversión; a lo sumo, le subyace; los dos tiempos se superponen, pero no se pueden mezclar. Este funcionario civil no puede actuar, como autoridad militar, sobre alguien a quien ha *detenido* en cuanto funcionario civil. Sin embargo, actúa. Lo manda matar. Pero es evidente que cuando actúa, cuando ordena matar a Livraga, sigue actuando como funcionario civil, aunque él crea lo contrario, por que ésa es su única forma posible de relación con ese detenido. Si en esa relación delinque, tiene forzosamente que ser juzgado como funcionario civil. No es una ejecución lo que él ordena, es un asesinato.

Supongamos, para ver más claro, que en este interregno de la metamorfosis provocado por la subversión este funcionario convertido en autoridad militar aprovecha la situación para cometer un delito cualquiera, asaltar un banco, asesinar a un acreedor. ¿Será luego juzgado por la justicia militar? Me parece evidente que no. Su carácter doble de funcionario civil y autoridad militar no le impide cometer un delito, regido por el código penal, que ha de ser juzgado por ese mismo código.

Ahora supongamos lo contrario. Supongamos que la mera promulgación de la ley marcial le da a un jefe de Policía, sobre todas las *personas previamente detenidas* en las comisarías, etc., la misma autoridad ilimitada que Fernández Suárez ejerció sobre Livraga. Este señor, entonces, puede asesinar a todos los presos confiados a su custodia, y luego —si la cuestión llega a plantearse— ser "juzgado" por un tribunal militar, es decir, por sus colegas y camaradas, embarcados en su misma facción y acaso culpables de similares hazañas.

¿No ha ocurrido así? ¿Acaso el teniente coronel Abraham González, juez militar, sancionó al teniente coronel Fernández Suárez, o divulgó siquiera algún resultado de ese "juicio"?

Quiero que se me diga qué diferencia hay entre esta concepción de la justicia y la que produjo las cámaras de gas en el nazismo.

Ahora volvamos a Livraga. Cuando este hombre sube, preso, a un colectivo, a las 23.30 del 9 de junio, está, a pesar de todo, protegido por el artículo 18 de la Constitución, que dice que "Ningún habitante de la Nación puede ser penado sin juicio previo fundado en ley anterior al hecho del proceso ... o sacado de los jueces designados por la ley antes del hecho de la causa".

¿Qué hace Livraga para perder estos derechos? Nada. Y sin embargo, los pierde, y ésta es otra de las fases de la monstruosidad jurídica convalidada por el fallo de la Corte y por el "juicio" militar, que son piedras de un mismo camino porque en 1957 no hacía falta ser un genio para saber que el teniente coronel González no iba a encontrar culpable al teniente coronel Fernández Suárez.

Ésa, pues, es la mancha imborrable, que salpica por igual a un gobierno, a una justicia y a un ejército:

Que los detenidos de Florida fueron penados, y con la muerte, y sin juicio, y arrancándolos a los jueces designados por la ley antes del hecho de la causa, y en virtud de una ley posterior al hecho de la causa, y hasta sin hecho y sin causa.

No habrá ya malabarismos capaces de borrar la terrible evidencia de que el gobierno de la revolución libertadora aplicó retroactivamente, a hombres detenidos el 9 de junio, una ley marcial promulgada el 10 de junio.

Y eso no es fusilamiento. Es un asesinato.

36. EPÍLOGO

Una de mis preocupaciones, al descubrir y relatar esta matanza cuando sus ejecutores aún estaban en el poder, fue mantenerla separada, en lo posible, de los otros fusilamientos cuyas víctimas fueron en su mayoría militares. Aquí había un episodio al que la Revolución Libertadora no podía responder ni siquiera con sofismas.

Ese método me obligaba a renunciar al encuadre histórico, en beneficio del alegato particular. Se trataba de presentar a la Revolución Libertadora, y sus herederos hasta hoy, el caso límite de una atrocidad injustificada, y preguntarles si la reconocían como suya, o si expresamente la desautorizaban. La desautorización no podía revestir otras formas que el castigo de los culpables y la reparación moral y material de las víctimas. Tres ediciones de este libro, alrededor de cuarenta artículos publicados, un proyecto presentado al Congreso e innumerables alternativas menores han servido durante doce años para plantear esa pregunta a cinco gobiernos sucesivos. La respuesta fue siempre el silencio. La clase que esos gobiernos representan se solidariza con aquel asesinato, lo acepta como hechura suya y no lo castiga simplemente porque no está dispuesta a castigarse a sí misma.

Las ejecuciones de militares en los cuarteles fueron, por supuesto, tan bárbaras, ilegales y arbitrarias como las de civiles en el basural.

Los seis hombres que al mando del coronel Yrigoyen pretendieron instalar en Avellaneda el comando de Valle y a quienes se capturó sin resistencia, son fusilados en la Unidad Regional de Lanús en la madrugada del 10 de junio.

El coronel Cogorno, jefe del levantamiento en La Plata, es ejecutado en los primeros minutos del 11 en el cuartel del regimiento 7. El civil Alberto Abadíe, herido en la refriega, es previamente *curado*. Recién el 12 al anochecer está maduro para el pelotón, que lo enfrenta en el Bosque.

El 10 de junio a mediodía son juzgados en Campo de Mayo los coroneles Cortínez e Ibazeta y cinco oficiales subalternos. El tribunal presidido por el general Lorio resuelve que no corresponde la pena de muerte. El Poder Ejecutivo salta olímpicamente sobre la "cosa juzgada" y dicta el decreto 10.364 que condena a muerte a seis de los siete acusados. La orden se cumple a las 3.40 de la madrugada del 11 de junio, junto a un terraplén.

Al mismo tiempo se fusila en la Escuela de Mecánica del Ejército a los cuatro suboficiales que momentáneamente la habían tomado, y en la Penitenciaría Nacional a tres suboficiales del Regimiento 2 de Palermo, presuntamente "complicados". Tiempo después hablé con la viuda de uno de ellos, el sargento músico Luciano Isaías Rojas. Me confió aquella noche del levantamiento su marido había dormido con ella en su casa.

El 12 de junio se entrega el general Valle, a cambio de que cese la matanza. Lo fusilan esa misma noche.

Suman 27 ejecuciones en menos de 72 horas en seis lugares.

Todas ellas están calificadas por el artículo 18 de la Constitución Nacional, vigente en ese momento, que dice: "Queda abolida para siempre la pena de muerte por motivos políticos".

En algunos casos se aplica retroactivamente la ley marcial. En otros, se vuelve abusivamente sobre la cosa juzgada. En otros, no se toma en cuenta el desistimiento de la acción armada que han hecho a la primera intimación los acusados. Se trata en suma de un vasto asesinato, arbitrario e ilegal, cuyos responsables máximos son los firmantes de los decretos que pretendieron convalidarlos: generales Aramburu y Ossorio Arana, almirantes Rojas y Hartung, brigadier Krause.

37. ARAMBURU Y EL JUICIO HISTÓRICO

El 29 de mayo de 1970 un comando montonero secuestró en su domicilio al teniente general Aramburu. Dos días después esa organización lo condenaba a muerte y enumeraba los cargos que el pueblo peronista alzaba contra él. Los dos primeros incluían "la matanza de 27 argentinos sin juicio previo ni causa justificada" el 9 de junio de 1956.

El comando llevaba el nombre del fusilado general Valle. Aramburu fue ejecutado a las 7 de la mañana del 1° de junio y su cadáver apareció 45 días después en el sur de la provincia de Buenos Aires.

El episodio sacudió al país de distintas maneras. El pueblo no lloró la muerte de Aramburu. El Ejército, las instituciones, la oligarquía elevaron un clamor indignado. Entre los centenares de protestas y declaraciones hay una que merece recordarse. Califica el hecho de "crimen monstruoso y cobarde, sin precedentes en la historia de la República". Uno de sus firmantes es el general Bonnecarrere, gobernador de la provincia al desatarse la Operación Masacre. Otro es el general Leguizamón Martínez, que había ejecutado al coronel Cogorno en los cuarteles de La Plata. Un tercero es el propio coronel Fernández Suárez. No parecían los más indicados para hablar de precedentes.

La ejecución de Aramburu provocó una semana más tarde la caída del general Onganía, cuya dictadura ya había sido resquebrajada otro 29 de mayo —el año anterior— por la epopeya popular del Cordobazo, y postergó momentáneamente los proyectos de los sectores liberales que veían en el general ajusticiado una solución de recambio para la fracasada Revolución Argentina.

El dramatismo de esa muerte aceleró un proceso que suele llevar años: la creación de un prócer. En cuestión de meses los doctores liberales, la prensa, los herederos políticos canonizaron a Aramburu mediante el uso irrestricto del ditirambo y la elegía. Paladín de la democracia, soldado de la libertad, dilecto hijo de la patria, militar forjado en el molde clásico de la tradición sanmartiniana, gobernante sencillo y probo que rehuía por temperamento los excesos de autoridad, son algunos de los conjuros que escamotean a la historia el perfil verdadero de Aramburu. Dos años después tenía su Mausoleo, ornado de Virtudes.

No todos los partidarios de Aramburu eran tan necios como para consumir esa imagen forjada en esa jerga. Algunos, que con más inteligencia reconocían las causas del odio popular, sostenían que "el Aramburu de 1970 no era el de 1956" y que colocado en las mismas circunstancias no habría fusilado, perseguido ni proscripto. Como Lavalle, asesino de Dorrego, habría cometido los hechos terribles que cometió bajo la influencia de consejeros solapados: bastaba cambiar el nombre de Salvador del Carril por el de Américo Ghioldi. Ambos se habrían arrepentido, consumando en el instante final un enigmático acercamiento a su tierra y a su pueblo. Dentro de esa perspectiva es posible que Aramburu, además del monumento gorila, llegue a merecer la cantata expiatoria de un Sabato futuro.

Para un juicio menos subjetivo esa metamorfosis carece de importancia aun en el caso de que fuese verdadera. Ejecutor de una política de clase cuyo fundamento —la explotación— es de por sí antihumano y cuyos episodios de crueldad devienen de ese fundamento como las ramas del tronco, las perplejidades de Aramburu, ya lejos del poder, apenas si iluminan el desfasaje entre los ideales abstractos y los actos concretos de los miembros de esa clase: el mal que hizo fueron los hechos y el bien que pensó, un estremecimiento tardío de la conciencia burguesa. Aramburu estaba obligado a fusilar y proscribir del mismo modo que sus sucesores hasta hoy se vieron forzados a torturar y asesinar por el simple hecho de que representan a una minoría usurpadora que sólo mediante el engaño y la violencia consigue mantenerse en el poder.

La matanza de junio ejemplifica pero no agota la perversidad de ese régimen. El gobierno de Aramburu encarceló a millares de trabajadores, reprimió cada huelga, arrasó la organización sindical. La tortura se masificó y se extendió a todo el país. El decreto que prohíbe nombrar a Perón o la operación clandestina que arrebata el cadáver de su esposa, lo mutila y lo saca del país, son expresiones de un odio al que no escapan ni los objetos inanimados, sábanas y cubiertos de la Fundación incinerados y fundidos porque llevan estampado ese nombre que se concibe como demoníaco. Toda una obra social se destruye, se llega a segar piscinas populares que evocan el "hecho maldito", el humanismo liberal retrocede a fondos medievales: pocas veces se ha visto aquí ese odio, pocas veces se han enfrentado con tanta claridad dos clases sociales.

Pero si este género de violencia pone al descubierto la verdadera sociedad argentina, fatalmente escindida, otra violencia menos espectacular y más perniciosa se instala en el país con Aramburu. Su gobierno modela la segunda década infame, aparecen los Alsogaray, los Krieger, los Verrier que van a anudar prolijamente los lazos de la dependencia desatados durante el gobierno de Perón. La República Argentina, uno de los países con más baja inversión extranjera (5 % del total invertido), que apenas remesaba anualmente al extranjero un dólar por habitante, empieza a gestionar esos préstamos que sólo benefician al prestamista, a adquirir etiquetas de colores con el nombre de tecnologías, a radicar capitales extranjeros formados con el ahorro nacional y a acumular esa deuda que hoy grava el 25 % de muestras exportaciones. Un solo decreto, el 13.125, despoja al país de 2 mil millones de dólares en depósitos bancarios nacionalizados y los pone a disposición de la banca internacional que ahora podrá controlar el crédito, estrangular a la pequeña industria y preparar el ingreso masivo de los grandes monopolios.

Quince años después será posible hacer el balance de esa política: un país dependiente y estancado, una clase obrera sumergida, una rebeldía que estalla por todas partes. Esa rebeldía alcanza finalmente a Aramburu, lo enfrenta con sus actos, paraliza la mano que firmaba empréstitos, proscripciones y fusilamientos.

APÉNDICES

"OPERACIÓN" EN CINE

En 1971 Jorge Cedrón decidió filmar "Operación Masacre". La filmación se realizó en las condiciones de clandestinidad que la dictadura de Lanusse impuso a la mayoría de las actividades políticas y a algunas actividades artísticas. Alrededor de treinta actores profesionales, en su mayoría de primera fila, aceptaron el riesgo de la filmación.

La película se terminó en agosto de 1972. Con el concurso de Juventud Peronista, peronismo de base, agrupaciones sindicales y estudiantiles, se exhibió centenares de veces en barrios y villas de Capital e interior, sin que una sola copia cayera en manos de la policía. Se estima que más de cien mil compañeros la habían visto antes del 25 de mayo de 1973. A partir de esa fecha se espera el permiso del Instituto del Cine para exhibirla legalmente.

En la película Julio Troxler desempeña su prolijo papel. Al discutir el libro con él y con Cedrón, llegamos a la conclusión de que el film no debía limitarse a los hechos allí narrados. Una militancia de casi 20 años autorizaba a Troxler a resumir la experiencia colectiva del peronismo en los años duros de la resistencia, la proscripción Y la lucha armada.

La película tiene pues un texto que no figura en el libro original. Lo incluyo en esta edición porque entiendo que completa el libro y le da su sentido último.

SECUENCIA FINAL

José León Suárez.
Amanecer.

VOZ DE TROXLER *(off)*. - Yo volví de Bolivia, me metieron preso, conocí la picana eléctrica. Mentalmente regresé muchas veces a este lugar. Quería encontrar la respuesta a esa pregunta: qué significaba ser peronista.

Cadáveres en el basural.

Qué significaba este odio, por qué nos mataban así. Tardamos mucho en comprenderlo, en darnos cuenta que el peronismo era algo más permanente que un gobierno que puede ser derrotado, que un partido que puede ser proscripto.

Masas en movimiento.

El peronismo era una clase, era la clase trabajadora que no puede ser destruida, el eje de un movimiento de liberación que no puede ser derrotado, y el odio que ellos nos tenían era el odio de los explotadores por los explotados.

Cadáveres
en Plaza de Mayo.

Mártires del pueblo:
Jáuregui.

Muchos más iban a caer víctimas de ese odio, en las manifestaciones populares,

Baldú.
Maestre.
Abal Medina.

bajo la tortura, secuestrados y asesinados por la policía y el ejército, o en combate.

Muchacho con bandera
encabeza una manifestación.

Fábrica ocupada.

Frondizi.

Villa Miseria.
Letreros: Esso, Fiat, etc.
Manifestante caído.

Pero el pueblo no dejó nunca de
alzar la bandera de la liberación,
la clase obrera no dejó nunca de
rebelarse contra la injusticia.
El peronismo probó todos los
métodos para recuperar el poder,
desde el pacto electoral hasta
el golpe militar. El resultado fue
siempre el mismo:
explotación
entrega
represión.
Así fuimos aprendiendo.

Políticos.

De los políticos sólo
podíamos esperar el engaño,

Empieza documental
del Cordobazo.

Soldados.

Camiones militares.

Pintada en una pared:
"FAP, FAR, Montoneros".

la única revolución definitiva es
la que hace el pueblo y dirigen los
trabajadores.
Los militares pueden sumarse
a ella como individuos, pero
no dirigirla como institución.
Porque esa institución pertenece al
enemigo, y contra ese enemigo
sólo es posible oponer
otro ejército,
surgido del pueblo.

Retoma documental
del Cordobazo.

El pueblo rechaza
a la caballería.
Córdoba envuelta en humo,
Lanusse.

Estas verdades se aprendieron con
sangre,
pero por primera vez hicieron retroceder a los verdugos,
por primera vez hicieron temblar
al enemigo,
que empezó a buscar acuerdos
imposibles

Lucha callejera: Rosario.
Lucha callejera: Mendoza.
Comisario Sandoval,
muerto.
Título de diario: "Matan
al general Sánchez".
Aramburu.

Entierro de Aramburu.
Fusilamiento de Lizaso.
Pintada: "Descamisados.
Comando Carlos Lizaso".

Troxler aferra los fusiles
de dos vigilantes
en José León Suárez.

Documental: masas en acción.

Vandor.
Alonso.
Muchedumbre.
Muchedumbre avanza.
Muchedumbre avanza.
Muchedumbre avanza.

entre opresores y oprimidos.
La marea empezaba a darse vuelta,
las balas también les entraban a
ellos, a los torturadores,
a los jefes de la represión.

Los que habían firmado penas de
muerte
sufrían la pena de muerte.
Los nombres de nuestros muertos
revivían en nuestros combatientes.

Lo que nosotros habíamos improvisado en nuestra desesperación,
otros aprendieron a organizarlo con
rigor,
a articularlo con las necesidades
de la clase trabajadora, que en el
silencio y el anonimato va forjando su organización
independiente de traidores
y burócratas,
la larga guerra del pueblo
el largo camino
la larga marcha
hacia la Patria Socialista.

PRÓLOGO PARA LA EDICIÓN EN LIBRO

*(de la primera edición, julio de 1957)**

Operación Masacre apareció publicada en la revista "Mayoría", del 27 de mayo al 29 de julio de 1957: un total de nueve notas.

Los hechos que relato ya habían sido tratados por mí en el periódico "Revolución Nacional", en media docena de artículos publicados entre el 15 de enero y fines de marzo de 1957.

Ahora el libro aparece publicado por Ediciones Sigla.

Estos nombres podrían indicar, en mí, una excluyente preferencia por la aguerrida prensa nacionalista. No hay tal cosa. Escribí este libro para que fuese publicado, para que *actuara*, no para que se incorporase al vasto número de las ensoñaciones de ideólogos. Investigué y relaté estos hechos tremendos para darlos a conocer en la forma más amplia, para que inspiren espanto, para que no puedan jamás volver a repetirse. Quienquiera me ayude a difundirlos y divulgarlos,

**Aclaración necesaria*: En las ediciones de *Operación Masacre* aparecidas en vida de Walsh, hay una confusión de fechas entre este prólogo –que el autor firma "La Plata, julio de 1957"–, la "Introducción" (pág. 187) –firmada "La Plata, marzo de 1957"–, y el "Obligado apéndice" (pág. 196), datado también en marzo de ese año. La primera edición en forma de libro, de Sigla, se terminó de imprimir el 30 de noviembre de 1957 y en ella se incluyen –sin precisiones– estos textos escritos en diferentes meses previos. *[N. del E.]*

es para mí un aliado a quien no interrogo por su idea política.

De este modo respondo a timoratos y pobres de espíritu que me preguntan por qué yo —que me considero un hombre de izquierda— colaboro periodísticamente con hombres y publicaciones de derecha. Contesto: porque ellos se atreven, y en este momento no reconozco ni acepto jerarquía más alta que la del coraje civil. ¿O pretenderán que silencie estas cosas por ridículos prejuicios partidistas? Mientras los ideólogos sueñan, gente más práctica tortura y mata. Y eso es concreto, eso es urgente, eso es de aquí y de ahora.

Puedo si es necesario renunciar o postergar esquemas políticos cuya verdad es al fin conjetural. No puedo, ni quiero, ni debo renunciar a un sentimiento básico: la indignación ante el atropello, la cobardía y el asesinato.

También he aprendido que las distancias partidarias son quizá las más superficiales que separan a los hombres. Son otras las diferencias que importan: las insalvables, irreductibles diferencias de carácter. En gente que piensa lo mismo que yo sobre la mayoría de los problemas abstractos, he encontrado un alarmante pragmatismo frente a situaciones concretas que exigen reacciones casi instintivas, capaces de justificar la condición humana.

El torturador que a la menor provocación se convierte en fusilador es un problema actual, un claro objetivo para ser aniquilado por la conciencia civil. Ignorábamos hasta ahora que tuviésemos esa fiera agazapada entre nosotros. Aun en la Alemania nazi fueron necesarios años de miseria, miedo y bombardeos para sacarla a la luz. En la República Argentina bastaron seis horas de motín para que asomara su repugnante silueta. Aquí está, con su nombre circunstancial, para que todos la vean. Y obren en consecuencia.

Lo demás, en este preciso momento, no me interesa.

INTRODUCCIÓN
(de la primera edición, marzo de 1957)

La primera noticia sobre la masacre de José León Suárez llegó a mis oídos en la forma más casual, el 18 de diciembre de 1956. Era una versión imprecisa, propia del lugar —un café— en que la oí formulada. De ella se desprendía que un presunto fusilado durante el motín peronista del 9 y 10 de junio de ese año sobrevivía y no estaba en la cárcel.

La historia me pareció cinematográfica, apta para todos los ejercicios de la incredulidad. (La misma impresión causó a muchos, y eso fue una desgracia. Un oficial de las fuerzas armadas, por ejemplo, a quien relaté los hechos antes de publicarlos, los calificó con toda buena fe de "novela por entregas".)

Ésta, sin embargo, puede ser apenas la máscara de la sabiduría. Suele ser tan ingenuo el incrédulo absoluto como el que todo lo cree; pertenecen en el fondo a una misma categoría psicológica.

Pedí más datos. Y al día siguiente conocí al primer actor importante del drama: el doctor Jorge Doglia. La entrevista con él me impresionó vivamente. Es posible que Doglia, un abogado de 32 años, tuviera los nervios destrozados por una lucha sin cuartel librada durante varios meses, desde su cargo de Jefe de la División Judicial de la Policía de la Provincia, contra los "métodos" policiales de que era testigo. Pero su sinceridad me pareció absoluta. Me refirió casos pavorosos de torturas con picana y cigarrillos encendidos, de azotes con gomas y alambres, de delincuentes comunes —por lo general "linyeras" y carteristas sin familiares que pudieran reclamar por ellos— muertos a cachiporrazos en las distintas comisarías de la provincia. Y todo esto bajo el régimen de una revolución libertadora que muchos argentinos recibieron esperanzados porque creyeron que iba a terminar con los abusos de la represión policíaca.

Doglia había combatido valerosamente contra todo esto, pero ahora lo asaltaba el desaliento. Dos meses antes había denunciado las torturas y los fusilamientos ilegales ante un Servicio de Informaciones. Pero allí un burócrata que bien podría pasarse el resto de sus días estudiando en los textos elementales las normas para cultivar al informante —principio que suponemos básico de todo Servicio similar— no encontró nada mejor que delatarlo. En vez de protegerlo, pusieron en peligro su vida, sujeta desde entonces a las más directas amenazas.

Una denuncia similar presentada por Doglia ante el ministerio de Gobierno de la provincia terminó en una acumulación de papel erudito, un expediente donde —con prosa digna de Gracián, en sus malos momentos— un señor subsecretario llegó a la conclusión de que algo había, pero no se sabía qué. A estas horas el expediente seguirá creciendo, acumulando fojas, polvo y frases declamatorias. Pero en resumen, nada. En resumen, lentitud e inepcia, cuando es evidente que se trataba de un asunto que importaba resolver pronto y bien. Éste es el servicio que prestan al actual gobierno algunos funcionarios.

Doglia no depositaba una excesiva confianza en el periodismo. Presumía que los diarios oficiales no iban a ocuparse de un asunto tan escabroso, y por otra parte no deseaba que los órganos de oposición lo explotaran con criterio político. Tampoco esperaba demasiado de la Justicia, ante la que acababa de presentarse como demandante el fusilado sobreviviente. Doglia vaticinó desde el primer momento: 1) que la causa sería reclamada por un Tribunal Militar, y 2) que ese reclamo sería atendido. (Lo primero se cumplió puntualmente a comienzos de febrero de 1957. Lo segundo estaba por verse. Todo dependía de lo que resolviera la Suprema Corte de la Nación, ante la que fue planteado el conflicto jurisdiccional. Al publicarse este libro, también el segundo vaticinio de Doglia se ha cumplido.)

En cuanto al fusilado sobreviviente, conseguí esa noche el primer dato concreto: se llamaba Juan Carlos Livraga. En la mañana del 20 de diciembre tuve en mis manos la fotocopia de la demanda judicial presentada por Livraga. Más tarde pude comprobar que la relación de sucesos que allí se hacía era exacta en lo esencial, aunque con algunas serias omisiones e inexactitudes de detalle. Pero todavía era demasiado cinematográfica. Parecía arrancada directamente de una película.

Y sin embargo, esa demanda era ya un *hecho*. Lo que allí se alegaba podía ser enteramente falso o no, pero era un hecho: un hombre que decía haber sido fusilado en forma irregular e ilegal se presentaba ante un juez del crimen para denunciar "a quien resulte responsable" por tentativa de homicidio y daño.

Había algo más. En el escrito se mencionaba a un segundo sobreviviente, un tal Giunta, lo que brindaba una posibilidad inmediata de verificar los hechos denunciados. Ya estábamos a una larga distancia de aquel rumor inicial recogido en un café treinta y seis horas antes.

Esa misma tarde la copia de la demanda estuvo en manos del señor Leónidas Barletta, director de "Propósitos". Barletta habló poco y no prometió nada. Sólo preguntó si la difusión de ese texto no podría perjudicar la marcha de la investigación judicial. Se le contestó que lo más urgente era proteger mediante una adecuada publicidad la vida del demandante, del propio Doglia y de otros testigos, a quienes se consideraba en peligro. Tres días más tarde, la noche del 23 de diciembre, la denuncia estaba en la calle, llevada por "Propósitos".

El 21, entretanto, tuve mi primer contacto directo con Livraga en el estudio de su abogado, el doctor von Kotsch. Hablé largamente con él, recogiendo los datos que utilizaría luego en el reportaje que publicó "Revolución Nacional".

Lo primero que me llamó la atención en Livraga fueron, naturalmente, las dos cicatrices de bala (orificios de entrada y salida) que tenía en el rostro. Esto también era un *hecho*. Podían discutirse las circunstancias en que recibió esas heridas, pero no podía discutirse la evidencia de que las había recibido, aunque una versión oficial llegó a afirmar, absurdamente, que "no se le hicieron disparos de ninguna naturaleza".

Por otra parte, se planteaba de inmediato un interrogante fundamental, el de la inocencia o culpabilidad de Livraga en el motín del 9 de junio. Si hubiera sido culpable, aun en la intención, ¿era normal, psicológicamente, que se presentara ante los jueces a exigir reparación? ¿No era mucho más lógico que se quedara tranquilo, dando gracias a Dios por haber salvado la vida y recuperado la libertad? Yo creo que un hombre tiene que sentirse *inocente* para presentar una denuncia así contra toda una Potencia como es la policía provincial. Desde luego —se dirá— todo es posible en psicología anormal. Pero si hay algo que llama la atención en Livraga es su normalidad, su reserva, su capacidad razonadora y observadora.

Por otra parte, ya lo he dicho, estaba en libertad. Esto también era un *hecho*. ¿Cómo admitir que un actor directo de los episodios de junio, un "revolucionario", un fusilado, estuviera en libertad? Lo único que podía explicarlo era la hipótesis de su inocencia. Y ya estábamos cada vez más lejos de la "novela por entregas", que a partir de entonces correría por cuenta exclusiva de las versiones oficiales.

No relataré aquí cómo se fue desenredando la madeja; cómo se llegó a establecer, a partir del hilo inicial, un panorama casi definitivo de los hechos; a partir de un personaje del drama, localizar a casi todos los demás. Prefiero exponer los resultados obtenidos.

En los cuatro meses que dura ya esta búsqueda, he hablado con los tres sobrevivientes del drama que aún están en libertad en el país. A todos ellos fui el primero en llegar como periodista. Al tercero pude localizarlo y entrevistarlo antes que la justicia actuante inclusive. He descubierto los nombres de tres sobrevivientes más que se encuentran en Bolivia y el de un séptimo que se halla preso en Olmos. He establecido y probado que un hombre que figuró como muerto en la lista oficial de fusilados (Reinaldo Benavídez), y de quien existiría inclusive una partida de defunción, se encuentra perfectamente a salvo. Inversamente, he lamentado comprobar que otro hombre (Mario Brión), que no figuró en esa lista y al que por un momento abrigué la esperanza de encontrar con vida, cayó ante el pelotón.

He hablado con testigos presenciales de cada una de las etapas del procedimiento que culminó en la masacre. Algunas pruebas materiales se encuentran en mis manos, antes de llegar a su destinatario natural. He obtenido la versión taquigráfica de las sesiones secretas de la Consultiva provincial dónde se debatió el asunto. He hablado con familiares de las víctimas, he trabado relación directa o indirecta con conspiradores, asilados y prófugos, delatores presuntos y héroes anónimos. Y estoy seguro de haber tomado siempre las máximas precauciones para proteger a mis informantes, dentro de lo compatible con la obligación periodística. En todas estas diligencias conté con la inestimable ayuda de la persona a quien está dedicado este libro.

Desde luego, no pretendo haber llegado primero a todas partes. Sé que hubo una investigación judicial, y aunque no conozco directamente sus conclusiones, tengo todos los motivos para suponer que fue muy seria, eficiente y rápida hasta que quedó interrumpida por el conflicto jurisdiccional. Espero que cuando sus resultados se hagan públicos —si alguna vez ocurre— puedan llenar las inevitables lagunas que hay en este relato.

Parte del material aquí recogido apareció en el semanario "Revolución Nacional" que dirigía el doctor Cerruti Costa. Espero que el doctor Cerruti no me culpe de ingratitud si digo que el hecho de que le llevara ese material no implica una preferencia o una simpatía por la línea política en que él está colocado. Como periodista, no me interesa demasiado la política. Para mí fue una elección forzosa, aunque no me arrepiento de ella. El reportaje inicial a Juan Carlos Livraga ya había sido rechazado por los distintos semanarios a que acudí, cuando el doctor Cerruti tuvo el valor de publicarlo e iniciar con él la serie de artículos y reportajes sobre los fusilamientos.

Suspicacias que preveo me obligan a declarar que no soy peronista, no lo he sido ni tengo la intención de serlo. Si lo fuese, lo diría. No creo que ello comprometiese más mi comodidad o mi tranquilidad personal que esta publicación.

Tampoco soy ya un partidario de la revolución que —como tantos— creí libertadora.

Sé perfectamente, sin embargo, que bajo el peronismo no habría podido publicar un libro como éste, ni los artículos periodísticos que lo precedieron, ni siquiera intentar la investigación de crímenes policiales que también existieron entonces. Eso hemos salido ganando.

La mayoría de los periodistas y escritores llegamos, en la última década, a considerar al peronismo como un enemigo personal. Y con sobrada razón. Pero algo tendríamos que haber advertido: no se puede vencer a un enemigo sin antes comprenderlo.

En los últimos meses he debido ponerme por primera vez en contacto con esos temibles seres —los peronistas— que inquietan los titulares de los diarios. Y he llegado a la conclusión (tan trivial que me asombra no verla compartida) de que, por muy equivocados que estén, son seres humanos y debe tratárselos como tales. Sobre todo no debe dárseles motivos para que persistan en el error. Los fusilamientos, las torturas y las persecuciones son motivos tan fuertes que en determinado momento pueden convertir el error en verdad.

Más que nada temo el momento en que humillados y ofendidos empiecen a tener razón. Razón doctrinaria, amén de la razón sentimental o humana que ya les asiste, y que en último término es la base de aquélla. Y ese momento está próximo y llegará fatalmente, si se insiste en la desatinada política de revancha que se ha dirigido sobre todo contra los sectores obreros. La represión del peronismo, tal como ha sido encarada, no hace más que justificarlo a posteriori. Y esto no sólo es lamentable: es idiota.

Reitero que esta obra no persigue un objetivo político ni mucho menos pretende avivar odios completamente estériles. Persigue —una entre muchas— un objetivo social: el aniquilamiento a corto o largo plazo de los asesinos impunes, de los torturadores, de los "técnicos" de la picana que permanecen a pesar de los cambios de gobierno, del hampa armada y uniformada.

Si se me pregunta por qué hablo ahora, habiendo callado como periodista cuando otros no lo hicieron —si bien jamás escribí una sola palabra firmada o anónima en elogio del peronismo, ni por otra parte me encontré con un caso de atrocidad comparable a éste—, diré con toda honradez: he aprendido la lección. Pero ahora son mis maestros los que callan. Durante varios meses he presenciado el silencio voluntario de toda la "prensa seria" en torno a esta execrable matanza, y he sentido vergüenza.

Se dirá también que el fusilamiento de José León Suárez fue un episodio aislado, de importancia más bien anecdótica. Creo lo contrario. Fue la perfecta culminación de un sistema. Fue un caso entre otros; el más evidente, no el más salvaje. Cosas he sabido que resulta difícil callarlas, pero que en este momento sería insoportable decirlas. El exceso de verdad puede enloquecer y aniquilar la conciencia moral de un pueblo. Algún día se escribirá, completa, la trágica historia de las matanzas de junio. Entonces se verá cómo el asombro rebasa nuestras fronteras.

Entretanto, el jefe de Policía que ordenó esta masacre en particular sigue en su cargo.

Eso significa que la lucha contra lo que él representa continúa. Y tengo la firme convicción de que el resultado último de esa lucha influirá durante años en la índole de nuestros sistemas represivos; decidirá si hemos de vivir como personas civilizadas o como hotentotes.

Sé que el señor jefe de Policía de la provincia de Buenos Aires ha demostrado una gran curiosidad —que supongo insatisfecha hasta ahora— por saber quién era el autor de los artículos en que presumiblemente se le atacaba. En realidad, debo decir que no ha existido intención de atacar su persona, salvo en la medida en que constituye una de las dos caras de la Civilización y Barbarie estudiadas hace un siglo por un gran argentino; y justamente aquella que debe desaparecer, que todos debemos luchar por que desaparezca.

Con la publicación de este libro firmado se disiparán las dudas del señor jefe de Policía. En tal revelación no alienta un fatuo espíritu de baladronada o desafío. Sé perfectamente que en este país un jefe de Policía es poderoso, mientras que un periodista —oscuro por añadidura— apenas es nada. Pero sucede que creo, con toda ingenuidad y firmeza, en el derecho de cualquier ciudadano a divulgar la verdad que conoce, por peligrosa que sea. Y creo en este libro, en sus efectos.

Espero que no se me critique el creer en un libro —aunque sea escrito por mí— cuando son tantos más los que creen en las metralletas.

OBLIGADO APÉNDICE
(de la primera edición, marzo de 1957)

LA MENTIRA COMO PROFESIÓN

Con la nota publicada en "Mayoría" el 15 de julio de 1957, puse provisorio epílogo a mi libro. No era casual aquello de "provisorio". Muchas cosas me habían quedado por decir. Preferí dejarlas para otro momento; primero, porque no quise abusar del espacio que me concedió esa revista; segundo, para que no se creyera que me causa algún placer denunciar la miseria moral que reina en algunos sectores del país; tercero, porque esperé que reaccionaran contra esa miseria quienes tienen el deber de hacerlo. Semejante esperanza, tanto tiempo mantenida, revela que soy uno de los hombres más ingenuos que pisan este suelo.

Porque la reacción ha venido de otro lado. El jefe de Policía de la provincia de Buenos Aires, teniente coronel Fernández Suárez, ha resuelto por fin acusar recibo de las acusaciones que le formulo. Y lo ha hecho en la forma más hábil y al mismo tiempo más torpe en que pudo hacerlo. Después explicaré la torpeza.

Véase ahora la habilidad. El señor jefe de Policía de la provincia descubre una banda de terroristas, sin duda real y existente. Cumpliendo con su deber, los detiene. Entre ellos ubica a un hombre, "Marcelo", que es uno de los testigos secundarios mencionados por mí en *Operación Masacre*. Entonces elige a un juez, el doctor Viglione, que goza fama de hombre íntegro, y le da inmediata intervención para que pueda comprobar el trato correcto dispensado a los detenidos. Y estoy completamente seguro de que ése, justamente ése, habrá sido uno de los procedimientos más medidos, ejemplares y hasta benévolos que jamás se hayan efectuado en la represión del terrorismo. El juez Viglione accede a realizar una conferencia de prensa —que nada tiene de objetable— y da detalles sobre el complot terrorista. Pero entonces sale el as de la manga, la clave de todo, el anzuelo para los ingenuos. Bajo el amparo del augusto juez, santificado por la presencia del augusto juez, interviene el teniente coronel Fernández Suárez y se dirige a mis colegas periodistas de los grandes diarios, que creen estar allí para oír el relato de terrorismo, pero que en realidad están allí, sin saberlo, para que Fernández Suárez pueda "levantar" los cargos que le hago y que tanto le pesan. Y mis colegas periodistas de los grandes diarios escriben, afanosamente escriben, lo que Fernández Suárez les dicta, sin que a ninguno se le ocurra formular una pregunta, plantear una duda. Veamos lo que escriben.

El de "La Razón":

"A su vez el jefe de Policía refirió otros antecedentes de la citada conspiración particularizándose en precisar que entre los principales complicados se halla Marcelo Rizzoni, que es la misma persona que lograra escapar el 9 de junio del año pasado, poco antes de practicarse un allanamiento en Florida donde se detuvo a complicados en la rebelión de esa fecha. Añadió que Rizzoni es la persona que, bajo el seudónimo de M, apareció suministrando a periódicos opositores la información sobre los fusilamientos que sirvió de base para desarrollar una campaña contra el teniente coronel Fernández Suárez, fraguando los detalles de ese episodio".

El de "La Nación":

"El jefe de Policía, teniente coronel Fernández Suárez, agregó, entonces, que el tal Marcelo es quien, bajo el seudónimo de M, proporcionaba datos a unas publicaciones periodísticas, naturalmente antojadizas, para una campaña contra la dependencia policial por causa de los fusilamientos".

El de "El Plata", de La Plata:

"Este sujeto Rizzoni es el que le facilitaba los datos al periódico 'Revolución Nacional' para la virulenta campaña que llevaba contra el jefe de Policía".

El de "El Argentino", de La Plata:

"Más adelante manifestó el jefe de Policía que un terrorista que está detenido y que resultó ser Marcelo Rizzoni, quien tenía a su cargo la fabricación de las bombas, era el encargado de suministrar información falsa acerca de los fusilamientos al periódico 'Revolución Nacional', quien publica unos artículos denominados 'Operación Masacre' en los cuales se culpa al jefe de Policía. Todas estas informaciones dadas por el rotativo citado son falsas, por cuanto se las suministra una persona como Rizzoni, quien solamente persigue fines confusionistas".

El de "El Día", de La Plata:

"El teniente coronel Fernández Suárez intervino para recordar que uno de los detenidos, de primordial actuación en el organismo terrorista, Marcelo Rizzoni, que firma 'Sr. M' sus colaboraciones en un periódico en el que formula denuncias sobre supuestas torturas, y es el jefe de la 'Operación Masacre', ha hecho declaraciones de arrepentimiento por su conducta...".

Hay oportunidades en que la mentira se vuelve tan espesa, que hace falta cierto método para desentrañarla. A falta de otro mejor, y aun a riesgo de aburrir, emplearé uno ya utilizado anteriormente. Las cinco versiones periodísticas que he citado en orden creciente de estupidez, contienen los siguientes hechos palpablemente falsos, parcialmente falsos o no probados, a saber:

1. "*Marcelo Rizzoni... es la misma persona que lograra escaparse el 9 de junio de año pasado poco antes de practicarse un allanamiento en Florida...*" Falso. Marcelo no "escapó". Estuvo tres veces en la casa de Florida, y la última se retiró tranquilamente sin sospechar nada y sin creer, subjetivamente, que estaba "escapando". El hombre que escapó al producirse el allanamiento se llamaba Juan Carlos Torres.

2. "*...en Florida, donde se detuvo a complicados en la rebelión de esa fecha...*" Parcialmente falso. Se detuvo a un complicado, que era Norberto Gavino, a dos o tres sospechosos y a nueve o diez inocentes. Y, desde el punto de vista de la Ley Marcial que se les aplicó, eran todos inocentes, incluso Gavino.

3. "*Rizzoni es la persona que bajo el seudónimo de M apareció suministrando a periódicos opositores la información sobre los fusilamientos...*" Falso. Marcelo no suministró *la* información, sino *una* información.

4. "*...la información sobre los fusilamientos que sirvió de base para desarrollar una campaña contra el teniente coronel Fernández Suárez...*" Falso. La información que trajo Marcelo no sólo no sirvió de base para esa "campaña", sino que en el momento en que la suministró vino a mejorar considerablemente la posición del jefe de Policía, como veremos más adelante.

5. "*...fraguando los detalles de ese episodio...*" Falso. La información suministrada por Marcelo, como toda la que he utilizado, es correcta. La he verificado y puedo probarla ante cualquier tribunal civil o militar.

6. "*...unas publicaciones periodísticas, naturalmente antojadizas...*" No probado lo de antojadizas.

7. "*Este sujeto Rizzoni es el que le facilitaba los datos al periódico...*" Parcialmente falso, véase apartado 3.

8. "*...al periódico "Revolución Nacional", quien publica...*" Falso. "Revolución Nacional" ha dejado de aparecer hace tiempo, y en consecuencia no publica nada. Publicó.

9. "*...quien publica unos artículos denominados 'Operación Masacre'...*" Falso. "Revolución Nacional" jamás publicó artículos titulados "Operación Masacre".

10. "*Marcelo Rizzoni, que firma* Sr. M *sus colaboraciones en un periódico...*" Falso, y por añadidura imbécil. Marcelo es un testigo, no un periodista. Un testigo a quien he llamado M. y no "Sr. M". Un testigo que ni colabora ni firma colaboraciones en periódico alguno.

11. "*...un periódico en el que formula denuncias sobre supuestas torturas...*" Falso y ridículo para cualquiera que sepa de qué se está hablando.

12. "*...y es el jefe de la 'Operación Masacre'...*" Falso. El redactor de esta versión queda confirmado como oligofrénico. El jefe indiscutido de la "Operación Masacre" fue el teniente coronel Fernández Suárez.

En una oportunidad anterior demostré que Fernández Suárez mentía, matemáticamente, cada dos renglones. Ahora, con ayuda de mis colegas periodistas, ha mejorado su propio récord.

Fernández Suárez pretende desvirtuar todo lo que yo he publicado, haciendo aparecer la información que me sirve de base como suministrada por un terrorista. Pero "Marcelo" es un testigo entre cincuenta, y quizás el menos importante. La información, la verdadera información me ha sido suministrada por el propio Fernández Suárez. Él es mi principal testigo.

Por si algún tribunal civil o militar, o los servicios de informaciones, o los directores de los diarios serios, quieren reconstruir paso a paso lo que yo he investigado, éstos son los testigos y declaraciones, en orden de importancia:

1) Fernández Suárez en su informe ante la Consultiva provincial el 18 de diciembre de 1956;

2) demanda judicial, ratificación ante el juez y declaraciones orales de Juan Carlos Livraga;

3) declaración de Miguel Ángel Giunta;

4) testimonio oral de Horacio di Chiano;

(con cada uno de estos tres sobrevivientes he hablado por lo menos media docena de veces, indagando exhaustivamente detalle por detalle)

5) declaración firmada por Norberto Gavino, que tengo en mi poder;

6) declaración conjunta firmada por Julio Troxler y Reinaldo Benavídez, en mi poder;

7) testimonio de la viuda de Vicente Rodríguez;

8) testimonio de los familiares de Mario Brión;

9) testimonio de la viuda de Nicolás Carranza;

10) testimonio de la viuda de Francisco Garibotti;

11) testimonio de los familiares de Carlos Lizaso;

12) testimonio de Juan Carlos Torres;

13) testimonio de los familiares de Giunta;

14) testimonio de los familiares de Livraga;

15) testimonio de los familares de Di Chiano.

Suman centenares las entrevistas que en el transcurso de cuatro meses he tenido con estos testigos y otros de menor importancia, que en su inmensa mayoría no han declarado aún ante juez alguno, civil o militar.

Mis colegas periodistas de los grandes diarios podrían tomarse —ahora que no hay peligro— el trabajo que yo me tomé, en vez de copiar lo que les dicta el teniente coronel fusilador.

Breve historia de una investigación

En mi relato, "Marcelo" aparece mencionado tres veces con la inicial M. No lo conocí como terrorista, sino como testigo. No puedo, sin embargo, decir que me asombra que se haya vuelto terrorista: era un hombre amargado, tremendamente dolorido. El fantasma de Carlitos Lizaso —el pecho estrellado de sangre, la mejilla rota de un tiro— lo perseguía sin tregua. Su íntimo amigo don Pedro Lizaso le había encargado que velara por el muchacho. Se lo devolvió muerto.

Para ilustrar hasta qué punto es falso que "Marcelo" haya suministrado "*la información que sirvió de base*" a mis artículos, y para prevenir nuevos golpes teatrales, tendré que referir brevemente las etapas de mi investigación. El 18 de diciembre de 1956 tuve la primera noticia de la masacre. El 19 conocí al doctor Doglia. El 20 conocí al doctor von Kotsch y obtuve copia de la demanda judicial de Livraga. Esa misma tarde la hice llegar al director de "Propósitos". El 21 conocí a Livraga. El 23 apareció la demanda publicada en "Propósitos".

Esa demanda y el relato oral de Livraga eran bastante exactos, pero contenían dos errores básicos que obstaculizaron enormemente todas mis averiguaciones posteriores. El primer error era afirmar que en el departamento del fondo, adonde llevara a Livraga su amigo Rodríguez, sólo había tres personas más. El segundo error consistía en suponer que en el carro de asalto sólo viajaron diez detenidos.

El 26 de diciembre terminé de escribir mi reportaje a Livraga, que tras una larga peregrinación iba a publicarse el 15 de enero en "Revolución Nacional". En él, desde luego, aparecían aquellos dos errores. Pero en cambio constaba un notable acierto, casi un pálpito, pues se basaba en unas palabras escuchadas por Livraga en un estado de semi-inconsciencia: la hipótesis de un tercer sobreviviente. No imaginaba yo con cuánta amplitud iba a confirmarse. Y otro acierto que no alcanzó a ver la luz pública: la mención casi directa del jefe de Policía como responsable de todo. La redacción del periódico la consideró demasiado "audaz" y la tachó.

El 27 de diciembre encontré en los diarios de la época del levantamiento la lista de "fusilados en la zona de San Martín", encabezada por Vicente Rodríguez. Pero ahí también había increíbles errores, que iban a ser verdaderas piedras en el camino. Figuraba un "Crizaso" que más tarde descubrí era Lizaso. Aparecía como muerto Reinaldo Benavídez, que en realidad estaba vivo. Y en su lugar faltaba Mario Brión.

Por esa época, pues, el panorama parcialmente erróneo que se desprendía de la demanda de Livraga y de la lista era éste: dos sobrevivientes (Livraga y Giunta), cinco muertos conocidos (Rodríguez, Carranza, Garibotti, "Crizaso" y Benavídez); y tres muertos anónimos.

El 28 de diciembre se me ocurrió revisar *todos* los diarios de la época del motín. Siendo Día de los Inocentes, no es de extrañar que encontrara las declaraciones del jefe de Policía donde relataba el allanamiento diciendo que había detenido a *catorce* personas. Así empezó el interminable y un poco kafkiano proceso, en el que alternativamente me faltaba o me sobraba un cadáver o un sobreviviente...

Por motivos que no importan demasiado, se produjo luego una *impasse* que duró veinte días.

El 19 de enero localicé el escenario del fusilamiento y tomé fotografías. El 20 fue un día extraordinario. Viajé a Florida, conocí a Giunta, logré vencer su tenaz resistencia y conseguí que me contara su versión de los hechos. Esa misma tarde entrevisté a la viuda de Rodríguez. Aproveché para hablar con los vecinos del barrio. De todas estas conversaciones surgieron tres datos importantísimos: 1) la existencia de un "tercer hombre", un nuevo sobreviviente, tal cual yo imaginara; 2) la primera mención de Mario Brión; 3) la primera mención del misterioso inquilino del departamento del fondo, "un señor alto que se escapó", según me dijeron los chiquillos del barrio. Esa tarde averigüé más que en todo un mes de salidas en falso.

El 29 de enero de 1957 apareció publicado en "Revolución Nacional" el reportaje a la viuda de Rodríguez, donde por primera vez señalé a Fernández Suárez como autor de las detenciones y responsable de los fusilamientos.

El 7 de febrero tuve en mis manos la versión taquigráfica de las dos sesiones de la Consultiva provincial, donde se habían debatido las torturas y los fusilamientos. En una de ellas aparecía la ya notoria confesión de Fernández Suárez.

El 10 de febrero regresé a Florida para una de las misiones que de antemano sabía más difíciles: localizar al "tercer hombre". Sabía ya cómo se llamaba. Tenía su dirección. Me habían asegurado, sin embargo, que no lo iba a encontrar. Estaba prófugo, oculto en alguna parte. No se dejaba ver por nadie. Vivía dominado aún por el pánico.

Como de costumbre, los chicos del barrio fueron mis mejores informantes. Una pequeña de ojos vivaces se nos acercó misteriosamente.

—El señor que ustedes buscan, *está* en su casa —susurró—. Le van a decir que no está, pero *está*.

—¿Y vos sabés por qué vinimos? —le pregunté.

—Sí. Yo sé todo —repuso con suprema dignidad.

(Escenas como ésta hubo por docenas.)

No relataré los prodigios de elocuencia que tuve que desplegar para verme al fin delante de don Horacio di Chiano. Pero allí estaba, el tercer resucitado, vivito y coleando.

Con él creí haber agotado el capítulo de los sobrevivientes. Ya era milagroso que se hubieran salvado los tres. Pero al día siguiente, 11 de febrero, recibí una de las grandes sorpresas de mi vida. La carta que tenía en mis manos era real, tangible. Y en ella, como una bomba, este párrafo: "Cuando las inocentes víctimas descendieron del carro de asalto, lograron fugar a Livraga, Giunta y el ex suboficial Gavino. Este último pudo meterse en la embajada de Bolivia y asilarse en aquel país".

Los sobrevivientes, pues, aumentaban a cuatro. Empecé a preguntarme si de verdad había muerto alguien. Torné a recorrer "mis testigos", y ante cada uno de ellos fui depositando, como al azar, una frase: "Ese señor alto, que escapó...". Hasta que conseguí la respuesta mecánica, instantánea, que buscaba:

—Torres.

—¿En la embajada...?

—De Bolivia.

Cuando mi informante se llevó la mano a la boca, ya era tarde. Salvo los niños, nadie decía nada voluntariamente. Pero hay reflejos. El 19 de febrero vi a Torres en la embajada de Bolivia. El 21 volví a verlo. Ese día se puede decir que quedó terminada la investigación. Los informes suministrados por Torres eran asombrosos. No sólo confirmaban la existencia de Gavino. Benavídez, el de la lista oficial de ejecutados, no estaba muerto: estaba exiliado en Bolivia. Y junto con él un sexto sobreviviente, a quien yo escuchaba nombrar por primera vez: Julio Troxler. Y acaso había un séptimo que, según versiones, estaba preso en Olmos. Torres no recordaba su apellido. Sabía solamente que era muy común, algo así como Rodríguez... Consulté una lista de presos en Olmos. Cuando vi de nuevo a Torres, le lancé a boca de jarro:

—¿Díaz?

Se le iluminó el rostro.

—¡Díaz! ¿Cómo hizo?

—¿Rogelio Díaz?

—Exacto.

La cuenta estaba completa. Rogelio Díaz era el séptimo sobreviviente.

El mismo 19 de febrero aparecía en "Revolución Nacional" la tercera y más importante de mis notas —"La Verdad sobre los Fusilados"—, con todos los datos reunidos antes de ver a Torres. En ella ya se mencionaba a Mario Brión, se afirmaba la existencia de tres sobrevivientes y se conjeturaba la de otros dos, con lo que ciertamente me adelantaba a la información que tenía en mi poder al escribirla. El 21 pude localizar a los familiares de Mario Brión. Entretanto, ya había averiguado la dirección de la viuda de Carranza y de la de Garibotti.

Es entonces, solamente entonces, con el caso plenamente aclarado y resuelto, cuando aparece "Marcelo".

En torno a "Marcelo"

Al principio, "Marcelo" fue simplemente una voz telefónica. Una voz tensa, nerviosa, que llamaba a la sede del periódico "Revolución Nacional" y pedía hablar con el autor de los artículos que relataban los fusilamientos de José León Suárez. Concertamos una entrevista. Era el 22 de febrero de 1957. "Marcelo" se quedó desolado cuando supo que se estaba arriesgando inútilmente, pues toda la información que él me traía ya estaba en mis manos por conducto de Torres. Lo curioso es que, aun cuando yo no hubiera conocido jamás a estos dos hombres, igual habría averiguado la existencia de los nuevos sobrevivientes. Porque el 23 o el 24 de febrero recibí la tercera carta del informante que firmaba "Atilas", con la nómina de todos los sobrevivientes. "Atilas" llegó con 48 horas de retraso, pero de todas maneras aprovecho aquí —por si me está leyendo— para agradecer la valiosa ayuda que me prestó.

No hay un solo dato importante en el texto de *Operación Masacre* que no esté fundado en el testimonio coincidente y superpuesto de tres o cuatro personas, y a veces más. En los hechos básicos, he descartado implacablemente toda la información unilateral, por muy sensacional que fuese. Es posible que se hayan deslizado intrascendentes errores de detalle, pero el relato es básicamente exacto y puedo probarlo ante cualquier tribunal civil o militar.

Volviendo a "Marcelo", su testimonio coincidente con el de Torres perjudicaba a Livraga y favorecía a Fernández Suárez, lo que demuestra en forma terminante que era verdadero. Partiendo de la demanda de Livraga, yo había supuesto en mis primeros artículos en "Revolución Nacional", que Fernández Suárez detuvo sólo a cinco perosnas en la casa de Florida, y a los demás en los alrededores, en una razzia indiscriminada. Torres y "Marcelo" me demostraron que no era así, que *todos* los fusilados habían sido detenidos dentro de la casa. De este modo el allanamiento cobraba por lo menos cierta lógica y la conducta de Fernández Suárez, antes del asesinato en masa, se volvía más explicable. Con toda honradez lo hice constar en la primera oportunidad que tuve. Torres iba más lejos: admitía que él y Gavino estaban complicados en el motín, aunque no llegaron a actuar. Esta gente ha hablado conmigo con total sinceridad y me ha dicho quiénes eran los que estaban comprometidos: Torres y Gavino. Quiénes eran los que estaban simplemente enterados: Carranza y Lizaso. Quiénes eran los que no sabían absolutamente nada: Brión, Giunta, Di Chiano, Livraga y Garibotti. Quedando en la sombra, por falta de datos concretos, la actitud mental de hombres como Rodríguez y Díaz. Todo esto consta muy claramente en mi relato. En cuanto a Troxler y Benavídez, poco importa si estaban o no comprometidos, si estaban o no enterados: el único delito por el cual se pretendió fusilarlos fue que llamaran a la puerta de una casa.

"Marcelo" era un hombre de estatura menuda, rostro cetrino, anteojos oscuros, gesto amargo y despectivo. Tenía 37 años, pero representaba más. Su aporte más valioso a mi libro fueron las conmovidas, entrecortadas palabras con que hablaba de Carlitos Lizaso. Lo recordaba casi con fervor de padre, en sus menudas anécdotas, en su modo de ser, en su alegría juvenil. Durante los meses que anduve hurgando en este caso me he encontrado con mujeres en quienes el llanto es ya una costumbre de cada perro día; con criaturas de mirada definitivamente distante ("¿Lo extrañás mucho a tu papá?" "Oh, sí, usted no sabe..."); con hermanos en quienes el puño cerrado sobre una mesa es una prolongación de la mirada homicida. Pero pocas cosas he visto como el dolor sordo, terrible, lacerante de este hombre ante el recuerdo de aquel muchacho. En vano procuraba recrear su figura con un ademán, resucitar su sonrisa con una mueca torpe, "regresarlo y desamordazarlo"; él, un hombre acabado y enfermo.

Lamento que "Marcelo" haya tomado el estéril camino del terror para disipar ese fantasma. Pero yo pregunto: ¿le han ofrecido otro los altos jueces y los gobernantes que protegen al asesino de su amigo? Sé que nada hay más difícil que justificar a un dinamitero, y yo ni siquiera voy a intentarlo. Sólo puedo decir que, esencialmente, "Marcelo" no era eso. Esencialmente era un hombre que sufría de un modo atroz, permanente e insomne. Cuando recordaba que había salido de la casa de Florida diez minutos antes del allanamiento, repetía: "Si por lo menos me hubiera quedado... Si por lo menos...". Un pudor varonil le impedía decir que deseaba, él tambien, estar muerto.

Ahora "Marcelo" está preso, y me alegro por él de que lo hayan capturado antes que sus bombas pudieran causar víctimas inocentes. Pero no seré yo quien acumule sobre la cabeza de este hombre destruido los calificativos de criminal, irresponsable y cobarde. Esa tarea la dejo a mis colegas, los periodistas serios, los amantes de la fácil verdad.

El terrorismo en abstracto es por cierto criminal, irresponsable y cobarde. Pero, entre un desesperado como "Marcelo", corroído por su fantasma y su pasión de venganza; y un frío, gratuito, consciente y metódico torturador y fusilador, no me pregunten con quién me quedo.

La conferencia de prensa que no dio el doctor Viglione

El 11 de julio de 1957 el juez Viglione reunió a los periodistas en la Jefatura de Policía de la provincia para informarles sobre la organización terrorista recién descubierta en Boulogne, cuyo jefe sería "Marcelo". Me parece bien que el señor juez haya intervenido en los procedimientos, velando por el trato de los detenidos, porque ésa es la principal función de un juez en la provincia de Buenos Aires. Me parece perfecto, asimismo, que haya informado rápidamente a la opinión pública, porque "en una democracia el diálogo es interesante", como dijo cierta vez Fernández Suárez. Lo que me parece mal es que se haya aprovechado la coyuntura para desacreditar, con una estratagema pueril, los cargos ilevantables de homicicio múltiple que he formulado contra el Jefe de Policía. De no mediar esa circunstancia, yo nada tendría que decir y esta nota no aparecería publicada. Pero la malicia es un arma de doble filo, y aquí está el segundo filo. La respuesta a la torpeza que antes mencioné.

Sobre la conferencia de prensa del doctor Viglione debió flotar, no diré el espectro de Banquo pero sí el fantasma de aquella otra conferencia de prensa frustrada a fines de enero de este año, en que otro juez, el doctor Hueyo, iba a anunciar el procesamiento de Fernández Suárez. Por eso —y porque yo hubiera tenido interés en formular unas modestas y respetuosas preguntas al señor jefe de Policía allí presente; ya que entiendo que una conferencia de prensa es algo así como un torneo de preguntas y respuestas—, lamento no haber sido invitado. Otra vez será, Dios mediante.

Lo que más lamento es que el señor juez haya perdido una oportunidad casi única para ilustrar y educar a la gente, lo que también está dentro de sus funciones. El señor juez pudo entonces explicar que el terrorismo no es algo que nace por generación espontánea. Pudo explicar que la actitud del terrorista de abajo que coloca una bomba es la respuesta al terrorismo de arriba que aplica la picana. Pudo explicar que la bomba que mata a un inocente no se diferencia gran cosa de la descarga del pelotón que mata a otro inocente. Y que, si cabe establecer algún matiz diferencial, es a favor del terrorista de abajo, que por lo menos no cuenta con la impunidad asegurada, no cree estar defendiendo la democracia, la libertad y la justicia, y no organiza conferencias de prensa.

Nadie estaba en mejores condiciones que el señor juez para dar a todo el país esta magistral lección de cordura, de sentido común y de entereza. Porque en la provincia de Buenos Aires no hay nadie —salvo los propios torturadores– que conozca más a fondo el sistema de torturas policiales que el doctor Viglione.

Para demostrarlo, me limitaré a transcribir una parte del informe que el 27 de diciembre de 1956 presentó, ante la

Junta Consultiva provincial, el consejero socialista, doctor Eduardo Schaposnik. Espero que "La Nación" diga que esto es "antojadizo". Espero que "La Razón" diga que esto es "fraguado". Espero que "El Día" de La Plata hable de "supuestas" torturas. Espero que todo esto sirva de tema a la próxima conferencia de prensa del doctor Viglione. Dijo el doctor Schaposnik:

He estado con el señor consejero Bronzini en el despacho de dos jueces, para tener una impresión que nos permitiera saber si nuestra información (sobre las torturas) *era veraz o no. Lo que hemos sabido, especialmente de la palabra del doctor Viglione, a quien aprecio como hombre en su actividad ciudadana, y a quien respeto aun más por las dotes que ha demostrado poseer para la judicatura, en su breve pero brillante actuación en que ha puesto tanto celo y entusiasmo, es terminante. Y las comprobaciones a que ha llegado son desalentadoras para nuestra fe en algunos hombres. Se señala un auge de las torturas que comienzan su evolución creciente desde el principio de este año y tiene su período culminante en los días del levantamiento del 9 y 10 de junio...*

Luego vienen algunos párrafos que ya he citado en el texto de *Operación Masacre*. Dijo a continuación el doctor Schaposnik:

He encontrado en los juzgados del crimen numerosos expedientes por torturas de las que no queda ninguna duda, porque en uno de ellos sus autores materiales han sido condenados a cuatro años de prisión en primera instancia por el juez doctor Viglione, y se encuentra actualmente en apelación en la cámara respectiva. Otro que se encuentra aún en primera instancia en el mismo juzgado merece la pena de ser destacado para ver si las acusaciones, realmente abrumadoras y penosas para un hombre que tenga dos centavos de sensibilidad, no afectan el prestigio de la institución.

Resumiré seguidamente parte de las actuaciones del expediente criminal por denuncia de torturas que se tramita por ante el juzgado del doctor Viglione.

Fojas uno, acta del Juzgado: con fecha abril 9 de 1956, el doctor Viglione, habiendo tenido conocimiento de que en la brigada de investigaciones de Lanús se cometen reiteradamente apremios ilegales contra los detenidos, decide constituir el Juzgado en esa repartición policial.

Fojas uno vuelta: constituido el doctor Viglione en la seccional policial citada, en compañía de los secretarios del Juzgado, recorre los calabozos y es informado por los detenidos Héctor, Agustín Daniel y Julio Jorge Silva, Agapito Rearte, Rómulo Fernández, Héctor A. Milito, Mariano Enrique Gareca, Carlos Neme, Miguel Artemio Longhi, Alfredo Richler, Alfonso Dande, Ernesto Arturo Suárez, Domingo Cuervo y Domingo Prieto, que se encontraban lastimados por haber sido sometidos a torturas en las mismas dependencias en que se encontraban, por lo que se dispone requerir la presencia del médico de policía, doctor Ricardo Alberto Díaz, quien informa por separado. Los detenidos denuncian entonces a sus torturadores: Rearte al empleado Farina; a Milito lo sometieron a picana los empleados Zapiola y Fernández; Cuervo denuncia que le pegó el empleado Gatti y otros más que reconocería; Prieto dice que le pegó y aplicó la picana el empleado Fumagalli y otros; Richler vio cuando llevaban a sus compañeros a la celda completamente desnudos y en mal estado, a raíz de las torturas sufridas. El acta es firmada por todos los detenidos mencionados, el juez y los secretarios.

El informe del médico de policía dice:

Que los detenidos Héctor, Agustín Daniel y Julio Jorge Silva tienen las siguientes lesiones: escoriaciones lineales en la cara lateral derecha y en la cara lateral izquierda del he-

miabdomen superior. Múltiples equimosis puntiformes en casi todo el abdomen, con una evolución de siete días; producidas con un instrumento duro y puntiforme pasado por la zona con discreta presión; las segundas han sido producidas por un pequeño instrumento de pequeña superficie sin punta, que ha actuado con violencia suficiente para producir esos pequeños derrames sanguíneos superficiales.

Agapito Néstor Rearte: dos cicatrices de medio centímetro aproximadamente de diámetro en la región dorsal del pene; corresponden por su tamaño a quemaduras y tienen una data de no menos de siete días y no más de quince días.

Rómulo Fernández: hematomas de ocho días aproximadamente de evolución en el párpado inferior derecho, provocado por elemento contuso, que pudo ser golpe de puño.

Milito: equimosis en la región inguino-escrotal, provocadas por elemento contuso.

Carlos Neme: cicatrices puntiformes en el pene y en el escroto, del mismo tipo que las de Rearte.

Domingo Prieto: herida contusa en la rodilla derecha y una herida superficial en el brazo derecho; estas lesiones están en plena cicatrización y tienen tres o cuatro días.

Dijo luego el doctor Schaposnik:

No voy a seguir leyendo constancias del sumario que demuestran fehacientemente los malos tratos inferidos por el personal de la Brigada de Investigaciones de Lanús a los detenidos. El comisario Mucci, que dirigía las investigaciones en Lanús, todavía sigue en funciones... Éstos son ejemplos que pongo. Mi exposición sería interminable si me hubiera dedicado a sacar las notas necesarias de los expedientes judiciales...

Esto ¿no merecía otra conferencia de prensa? Admitiendo que sea necesario —y no lo discuto— suscitar una reacción pública contra el terrorismo de abajo, ¿no es también urgente fundamentar un gran movimiento de opinión que aniquile para siempre a los terroristas de arriba, a los torturadores, a los fusiladores?

Empiezo a convencerme de que es una desgracia, una especie de tara psicológica de la que huye la gente respetable, ver siempre las dos caras de la moneda. Esa moneda de dos centavos de sensibilidad, que reclamaba el doctor Schaposnik.

PROVISORIO EPÍLOGO

(de la primera edición, julio de 1957)

Por distintas circunstancias que no excluyen la casualidad, me han tocado bastante de cerca las tres revoluciones —dos aplastadas de muy diverso modo, una intermedia victoriosa— que en 1955 y 1956 sacudieron al país.

Puedo, sin remordimiento, repetir que he sido partidario del estallido de setiembre de 1955. No sólo por apremiantes motivos de afecto familiar —que los había—, sino porque abrigué la certeza de que acababa de derrocarse un sistema que burlaba las libertades civiles, que negaba el derecho de expresión, que fomentaba la obsecuencia por un lado y el desborde por el otro. Y no tengo corta memoria: lo que entonces pensé, equivocado o no, sigo pensándolo.

A fines de 1955 escribí un artículo periodístico con el que me propuse realizar un homenaje a tres hombres de la aviación naval, muertos en la campaña del Sur, combatiendo con simple y comprobable heroísmo. Por causas que más vale no recordar, las autoridades del ministerio de Marina vetaron esa nota, primero verbalmente y después por escrito. Ellos entendieron que los caídos, sus propios muertos, podían prescindir de tal homenaje —que sus enemigos acaso no les hubieran negado— y yo entendí que podía prescindir de la opinión del ministerio de Marina. Porque tanto entonces como ahora creo que el periodismo es libre, o es una farsa, sin términos medios. Y el artículo, naturalmente, salió publicado con mi firma, a pesar de la expresa desautorización que aún tengo en mis manos.

No es ociosamente que recuerdo aquel episodio, acaso el primero en la larga serie que permitió a la Revolución devorar a sus héroes y renegar de sus muertos, y con ello perder su atributo de Libertadora y muchas otras cosas. Porque en aquella nota yo señalaba con toda deliberación que, junto al capitán Estivariz y al teniente Irigoin, había caído un suboficial que era peronista. Un hombre que pudiendo eludir el compromiso —como otros más encumbrados lo hicieron— había colocado en primer término su espíritu de cuerpo, su lealtad al uniforme y su devoción al superior; y, en lejano segundo término, su entrañable y en él muy respetable idea política. Esos restos carbonizados e irreconocibles de tres hombres, dos revolucionarios y un peronista, dentro de un mismo avión hecho pedazos, caídos en una misma lucha, consumidos en idéntico fuego de heroísmo, significaban algo indudablemente. Eso era un signo, eso era una advertencia, eso era un símbolo tremendo, eso era un pacto sellado con sangre. ¿Qué quiere decir ahora, a casi dos años de distancia, cuando los miopes, los cobardes y los torpes no han hecho más que violar semejante compromiso? Sólo se me ocurre decir: afortunados aquellos tres, que están muertos, unidos e intocados en su gloriosa eternidad.

La revolución del 9 de junio me tocó más de cerca. Por simples motivos geográficos, la tuve literalmente dentro de mi casa. Para arribar a ella en plena madrugada debí atravesar zona de combate, en la esquina de 54 y 4, en La Plata. En esos treinta pasos que abarcaba el sector de fuego del Comando de la Segunda División supe lo que era el incoercible miedo físico.

Pero tampoco es por simple pintoresquismo que recuerdo

el menudo episodio. En aquella esquina, tras un automóvil utilizado como barricada, entre el crepitar de la fusilería, me había parado —destinatario final de un "¡Al-tó-o!" interminable y simétrico de invisibles tiradores— un hombre bajo, más bien gordo, de bigotes, con chaqueta de cuero y pistola ametralladora en la cintura. Me preguntó adónde iba. Entrecortadamente le hablé de mi familia, que estaba cincuenta metros más allá, en la zona donde se libró el tiroteo más intenso de toda esa jornada. No me exigió documentos —que no los tenía conmigo—, no me pidió opinión sobre lo que estaba ocurriendo. Se limitó a decirme, encogiéndose de hombros:

—Si se anima, pase.

Era el jefe del grupo rebelde. Un hombre que ahora vende globos en una plaza de Montevideo. Yo pensaba y sigo pensando —nótese bien— que ese hombre estaba equivocado. Porque él no podía saber que, en ese mismo momento, lo estaban justificando. Él no podía saber que, en ese mismo momento, un personaje que no osaba atrever las narices en aquel campo de batalla ordenaba fríamente la ejecución de doce pobres diablos. Él no podía saber que, detrás del paredón y la puertita verde del Comando, otro hombre —Juan Carlos Longoni—, que se estaba jugando la vida por la idea contraria, iba a arriesgar y perder su carrera por rehabilitar a aquellos pobres diablos. Ni él, ni yo, ni Longoni sabíamos nada.

Pero aquel sargento Ferrari del grupo rebelde me dejó pasar, y posiblemente debió lamentarlo. Porque dos horas más tarde mi casa se convertía en abrigo de cuarenta soldados leales que, superado el susto, tiraban contra él. Esos hombres del segundo batallón de Comunicaciones de City Bell no se acordarán de mi cara, que apenas vieron en la oscuridad, o de mi nombre, que no averiguaron; pero estoy seguro de que ninguno de ellos —ni siquiera el teniente Cruset, o Decruset, que los mandaba— olvidará en su vida aquella alta puerta de madera que fue la única en abrirse para ellos en la calle 54, bajo el fuego rebelde que amenazaba diezmarlos y que, en la vereda de enfrente, ya había dejado el tendal de infantes de Marina.

Uno de ellos acababa de morir, calzada por medio, a diez metros de distancia. Escuché el grito de terror y soledad que lanzó al caer, cuando la patrulla tomada de sorpresa se replegó momentáneamente: "¡No me dejen solo! ¡Hijos de p..., no me dejen solo!". Sus compañeros tomaron, después, el nido de ametralladora que lo había matado desde una obra en construcción. Pero Bernardino Rodríguez, de 21 años, murió creyendo que sus camaradas, sus amigos, lo abandonaban en la muerte. Y eso me dolió entonces, y me sigue doliendo ahora, como tantas cosas inútiles.

En ese momento supe lo que era una revolución, su faz sórdida que nada puede compensar. Y la odié con todas mis fuerzas, a esa revolución. Y, por reflejo, a todas las anteriores, por justas que hayan sido. Y lo seguí comprendiendo en las tensas horas posteriores, al ver a mi alrededor el miedo sin disimulo en aquellos rostros casi infantiles de soldados, que no sabían si eran "leales" o "rebeldes", pero sabían que estaban obligados a tirar contra otros soldados idénticos a ellos, que también ignoraban si eran leales o rebeldes.

Si hay algo justamente que he procurado suscitar en estas páginas es el horror a las revoluciones, cuyas primeras víctimas son siempre personas inocentes, como los fusilados de José León Suárez o como aquel conscripto caído a pocos metros de donde yo estaba. La pobre gente no muere gritando "Viva la patria", como en las novelas. Muere vomitando de miedo, como Nicolás Carranza, o maldiciendo su abandono, como Bernardino Rodríguez.

Sólo un débil mental puede no desear la paz.

Pero la paz no es aceptable a cualquier precio.

Y siempre habrá en germen nuevos levantamientos, y nuevas olas de insensata revancha —aunque luego tengan sentido contrario—, mientras se mantengan al frente de los organismos represivos del Estado hombres como el actual jefe de Policía de la provincia de Buenos Aires, teniente coronel Desiderio Fernández Suárez.

EPÍLOGO

(de la segunda edición, 1964)

Ahora quiero decir lo que he conseguido con este libro, pero principalmente lo que no he conseguido. Quiero nombrar lo que de alguna manera fue una victoria, y lo que fue una derrota; lo que he ganado y lo que he perdido.

Fue una victoria llegar al esclarecimiento de unos hechos que inicialmente se presentaban confusos, perturbadores, hasta inverosímiles, casi sin más ayuda que la de una muchacha y unos pocos hombres acosados que eran las víctimas. Fue una victoria sobreponerme al miedo que, al principio, sobre todo, me atacaba con alguna intensidad, y conseguir que ellos se sobrepusieran, aunque ellos tenían una experiencia del miedo que yo nunca podré igualar. Fue una victoria conseguir que un hombre como "Marcelo", que ni siquiera nos conocía, viniese a traernos su información, arriesgando la emboscada y la picana que más tarde lo laceraron; conseguir que hasta la pequeña Casandra de Florida supiera que se nos podía confiar la vida de un hombre. Ha sido un triunfo encontrarme años después con la sonrisa infantil de Troxler, que salvó esa noche a los que se salvaron, y no hablar una palabra de esa noche.

En lo demás, perdí. Pretendía que el gobierno, el de Aramburu, el de Frondizi, el de Guido, cualquier gobierno, por boca del más distraído, del más inocente de sus funcionarios, reconociera que esa noche del 10 de junio de 1956, en nombre de la República Argentina, se cometió una atrocidad.

Pretendía que, a esos hombres que murieron, cualquier gobierno de este país les reconociera que la justicia de este país los mató por error, por estupidez, por ceguera, por lo que sea. Yo sé que a ellos no les importa, a los muertos. Pero había una cuestión de decencia, no sé cómo decirlo.

Pretendía que, a los que se salvaron —Livraga desfigurado a tiros; Giunta casi enloquecido; Di Chiano escondido en un sótano; a los otros, desterrados—, cualquier autoridad, cualquier institución, cualquier cosa respetable de este país civilizado, les reconociera, siquiera con palabras, aquí donde las palabras son tan fáciles, donde no cuestan nada las palabras, que hubo un error, que hubo una fatal irreflexión, para qué decir un crimen.

Que a los seis hijos de Carranza y los seis de Garibotti, a los tres de Rodríguez y al de Brión, y a las mujeres de esos hombres se les reconociera algún derecho emanante de la carroña sangrienta que la justicia de este país, y no de otro, llevó al cementerio, de todos esos cuerpos que fueron gente querida por los suyos. Que se les diera algo, un testimonio, una palabra, una pensión, no tan grande como la de un general, no tan grande como la de un juez de la Corte, quién podría pretender tanto. Algo.

En esto fracasé. Aramburu ascendió a Fernández Suárez; no rehabilitó a sus víctimas. Frondizi tuvo en sus manos un ejemplar dedicado de este libro: ascendió a Aramburu. Creo que después ya no me interesó. En 1957 dije con grandilocuencia: "Este caso está en pie, y seguirá en pie todo el tiempo que sea necesario, meses o años". De esa frase culpable pido retractarme. Este caso ya no está en pie, es apenas un fragmento de historia, este caso está muerto.

En otras cosas también fracasé. Pretendía que Fernández Suárez fuera juzgado, destituido, castigado. Cuando se hizo evidente que nada de eso iba a ocurrir, quise castigarlo yo mismo, a mi manera, con mis propias armas; lo perseguí quizá con la misma ferocidad con que él persiguió, torturó, mató; lo flagelé semana a semana. En la medida en que esa tentativa me haya hecho parecido a él, pido nuevamente retractarme. Qué me importa ya Fernández Suárez.

Hay otro fracaso todavía. Cuando escribí esta historia, yo tenía treinta años. Hacía diez que estaba en el periodismo. De golpe me pareció comprender que todo lo que había hecho antes no tenía nada que ver con una cierta idea del periodismo que me había ido forjando en todo ese tiempo, y que esto sí —esa búsqueda a todo riesgo, ese testimonio de lo más escondido y doloroso—, tenía que ver, encajaba en esa idea. Amparado en semejante ocurrencia, investigué y escribí enseguida otra historia oculta, la del caso Satanowsky. Fue más ruidosa, pero el resultado fue el mismo: los muertos, bien muertos; y los asesinos, probados, pero sueltos.

Entonces me pregunté si valía la pena, si lo que yo perseguía no era una quimera, si la sociedad en que uno vive necesita realmente enterarse de cosas como éstas. Aún no tengo una respuesta. Se comprenderá, de todas maneras, que haya perdido algunas ilusiones, la ilusión en la justicia, en la reparación, en la democracia, en todas esas palabras, y finalmente en lo que una vez fue mi oficio, y ya no lo es.

Releo la historia que ustedes han leído. Hay frases enteras que me molestan, pienso con fastidio que ahora la escribiría mejor.

¿La escribiría?

RETRATO DE LA OLIGARQUÍA DOMINANTE
(fin del epílogo de la tercera edición, 1969)

Las generalizaciones que siguen no podrán ser tachadas de impaciencia.

Hoy se puede ir ordenadamente de menor a mayor y perfeccionar, a la luz del asesinato, el retrato de la oligarquía dominante. Los militares de junio de 1956, a diferencia de otros que se sublevaron antes y después, fueron fusilados porque pretendieron hablar en nombre del pueblo: más específicamente, del peronismo y la clase trabajadora. Las torturas y asesinatos que precedieron y sucedieron a la masacre de 1956 son episodios característicos, inevitables y no anecdóticos de la lucha de clases en la Argentina. El caso Manchego, el caso Vallese, el asesinato de Méndez, Mussi y Retamar, la muerte de Pampillón, el asesinato de Hilda Guerrero, las diarias sesiones de picana en comisarías de todo el país, la represión brutal de manifestaciones obreras y estudiantiles, las inicuas razzias en villas miseria, son eslabones de una misma cadena.

Era inútil en 1957 pedir justicia para las víctimas de la "Operación Masacre", como resultó inútil en 1958 pedir que se castigara al general Cuaranta por el asesinato de Satanowsky, como es inútil en 1968 reclamar que se sancione a los asesinos de Blajaquis y Zalazar, amparados por el gobierno. Dentro del sistema, no hay justicia.

Otros autores vienen trazando una imagen cada vez más afinada de esa oligarquía, dominante frente a los argentinos, y dominada frente al extranjero. Que esa clase esté temperamentalmente inclinada al asesinato es una connotación importante, que deberá tenerse en cuenta cada vez que se encare la lucha contra ella. No para duplicar sus hazañas, sino para no dejarse conmover por las sagradas ideas, los sagrados principios y, en general, las bellas almas de los verdugos.

CARTA ABIERTA DE UN ESCRITOR A LA JUNTA MILITAR*

1. La censura de prensa, la persecución a intelectuales, el allanamiento de mi casa en el Tigre, el asesinato de amigos queridos y la pérdida de una hija que murió combatiéndolos, son algunos de los hechos que me obligan a esta forma de expresión clandestina después de haber opinado libremente como escritor y periodista durante casi treinta años.

El primer aniversario de esta Junta Militar ha motivado un balance de la acción de gobierno en documentos y discursos oficiales, donde lo que ustedes llaman aciertos son errores, los que reconocen como errores son crímenes y lo que omiten son calamidades.

El 24 de marzo de 1976 derrocaron ustedes a un gobierno del que formaban parte, a cuyo desprestigio contribuyeron como ejecutores de su política represiva, y cuyo término es-

* Walsh envió por correo esta carta, fechada el 24 de marzo de 1977, a las redacciones de los diarios locales y a corresponsales de diarios extranjeros. El 25 de marzo de 1977 Walsh fue secuestrado por un "Grupo de Tareas" y desde entonces permanece desaparecido.
La carta no fue publicada por ningún medio local, pero poco a poco se difundió en el extranjero. A partir de la reedición realizada en 1984, De la Flor la incluyó como Apéndice en todas las reimpresiones de *Operación Masacre*. [N. del E.]

taba señalado por elecciones convocadas para nueve meses más tarde. En esa perspectiva lo que ustedes liquidaron no fue el mandato transitorio de Isabel Martínez sino la posibilidad de un proceso democrático donde el pueblo remediara males que ustedes continuaron y agravaron.

Ilegítimo en su origen, el gobierno que ustedes ejercen pudo legitimarse en los hechos recuperando el programa en que coincidieron en las elecciones de 1973 el ochenta por ciento de los argentinos y que sigue en pie como expresión objetiva de la voluntad del pueblo, único significado posible de ese "ser nacional" que ustedes invocan tan a menudo. Invirtiendo ese camino han restaurado ustedes la corriente de ideas e intereses de minorías derrotadas que traban el desarrollo de las fuerzas productivas, explotan al pueblo y disgregan la Nación. Una política semejante sólo puede imponerse transitoriamente prohibiendo los partidos, interviniendo los sindicatos, amordazando la prensa e implantando el terror más profundo que ha conocido la sociedad argentina.

2. Quince mil desaparecidos, diez mil presos, cuatro mil muertos, decenas de miles de desterrados son la cifra desnuda de ese terror.

Colmadas las cárceles ordinarias, crearon ustedes en las principales guarniciones del país virtuales campos de concentración donde no entra ningún juez, abogado, periodista, observador internacional. El secreto militar de los procedimientos, invocado como necesidad de la investigación, convierte a la mayoría de las detenciones en secuestros que permiten la tortura sin límite y el fusilamiento sin juicio.[1]

[1] Desde enero de 1977 la Junta empezó a publicar nóminas incompletas de nuevos detenidos y de "liberados" que en su mayoría no son tales sino procesados que dejan de estar a su disposición pero siguen presos. Los nombres de millares de prisioneros son aún secreto militar y las condiciones para su tortura y posterior fusilamiento permanecen intactas.

Más de siete mil recursos de hábeas corpus han sido contestados negativamente este último año. En otros miles de casos de desaparición el recurso ni siquiera se ha presentado porque se conoce de antemano su inutilidad o porque no se encuentra abogado que ose presentarlo después que los cincuenta o sesenta que lo hacían fueron a su turno secuestrados.

De este modo han despojado ustedes a la tortura de su límite en el tiempo. Como el detenido no existe, no hay posibilidad de presentarlo al juez en diez días según manda una ley que fue respetada aun en las cumbres represivas de anteriores dictaduras.

La falta de límite en el tiempo ha sido complementada con la falta de límite en los métodos, retrocediendo a épocas en que se operó directamente sobre las articulaciones y las vísceras de las víctimas, ahora con auxiliares quirúrgicos y farmacológicos de que no dispusieron los antiguos verdugos. El potro, el torno, el despellejamiento en vida, la sierra de los inquisidores medievales reaparecen en los testimonios junto con la picana y el "submarino", el soplete de las actualizaciones contemporáneas.[2]

Mediante sucesivas concesiones al supuesto de que el fin de exterminar a la guerrilla justifica todos los medios que usan, han llegado ustedes a la tortura absoluta, intemporal, metafísica en la medida que el fin original de obtener información se extravía en las mentes perturbadas que la administran para ceder al impulso de machacar la sustancia humana hasta quebrarla y hacerle perder la dignidad, que perdió el verdugo, que ustedes mismos han perdido.

[2] El dirigente peronista Jorge Lizaso fue despellejado en vida; un ex diputado radical, Mario Amaya, muerto a palos, el ex diputado Muñiz Barreto, desnucado de un golpe. Testimonio de una sobreviviente: "Picana en los brazos, las manos, los muslos, cerca de la boca cada vez que lloraba o rezaba... Cada veinte minutos abrían la puerta y me decían que me iban a hacer fiambre con la máquina de sierra que se escuchaba".

3. La negativa de esa Junta a publicar los nombres de los prisioneros es asimismo la cobertura de una sistemática ejecución de rehenes en lugares descampados y horas de la madrugada con el pretexto de fraguados combates e imaginarias tentativas de fuga.

Extremistas que panfletean el campo, pintan acequias o se amontonan de a diez en vehículos que se incendian son los estereotipos de un libreto que no está hecho para ser creído sino para burlar la reacción internacional ante ejecuciones en regla mientras en lo interno se subraya el carácter de represalias desatadas en los mismos lugares y en fecha inmediata a las acciones guerrilleras.

Setenta fusilados tras la bomba en Seguridad Federal, 55 en respuesta a la voladura del Departamento de Policía de La Plata, 30 por el atentado en el Ministerio de Defensa, 40 en la Masacre del Año Nuevo que siguió a la muerte del coronel Castellanos, 19 tras la explosión que destruyó la comisaría de Ciudadela, forman parte de 1200 ejecuciones en 300 supuestos combates donde el oponente no tuvo heridos y las fuerzas a su mando no tuvieron muertos.

Depositarios de una culpa colectiva abolida en las normas civilizadas de justicia, incapaces de influir en la política que dicta, los hechos por los cuales son represaliados, muchos de esos rehenes son delegados sindicales, intelectuales, familiares de guerrilleros, opositores no armados, simples sospechosos a los que se mata para equilibrar la balanza de las bajas según la doctrina extranjera de "cuenta-cadáveres" que usaron los SS en los países ocupados y los invasores en Vietnam.

El remate de guerrilleros heridos o capturados en combates reales es asimismo una evidencia que surge de los comunicados militares que en un año atribuyeron a la guerrilla 600 muertos y sólo 10 o 15 heridos, proporción desconocida en los más encarnizados conflictos. Esta impresión es confirmada por un muestreo periodístico de circulación clandestina que revela que entre el 18 de diciembre de 1976 y el 3 de febrero de 1977, en 40 acciones reales, las fuerzas legales tuvieron 23 muertos y 40 heridos, y la guerrilla 63 muertos.[3]

Más de cien procesados han sido igualmente abatidos en tentativas de fuga cuyo relato oficial tampoco está destinado a que alguien lo crea sino a prevenir a la guerrilla y los partidos de que aun los presos reconocidos son la reserva estratégica de las represalias de que disponen los Comandantes de Cuerpo según la marcha de los combates, la conveniencia didáctica, el humor del momento.

Así ha ganado sus laureles el general Benjamín Menéndez, jefe del Tercer Cuerpo del Ejército, antes del 24 de marzo con el asesinato de Marcos Osatinsky, detenido en Córdoba, después con la muerte de Hugo Vaca Narvaja y otros cincuenta prisioneros en variadas aplicaciones de la ley de fuga ejecutadas sin piedad y narradas sin pudor.[4] El asesinato de Dardo Cabo, detenido en abril de 1975, fusilado el 6 de enero de 1977 con otros siete prisioneros en jurisdicción del Primer Cuerpo de Ejército que manda el general Suárez Mason, revela que estos episodios no son desbordes de algunos centuriones alucinados sino la política misma que ustedes planifican en sus estados mayores, discuten en sus reuniones de gabinete, imponen como comandantes en jefe de las 3 Armas y aprueban como miembros de la Junta de Gobierno.

[3] "Cadena Informativa", mensaje Nº 4, febrero de 1977.

[4] Una versión exacta aparece en esta carta de los presos en la Cárcel de Encausados al obispo de Córdoba, monseñor Primatesta: "El 17 de mayo son retirados con el engaño de ir a la enfermería seis compañeros que luego son fusilados. Se trata de Miguel Ángel Mosse, José Svaguza, Diana Fidelman, Luis Verón, Ricardo Yung y Eduardo Hernández, de cuya muerte en un intento de fuga informó el Tercer Cuerpo de Ejército. El 29 de mayo son retirados José Puchet, y Carlos Sgadurra. Este último había sido castigado al punto de que no se podía mantener en pie, sufriendo varias fracturas de miembros. Luego aparecen también fusilados en un intento de fuga".

4. Entre mil quinientas y tres mil personas han sido masacradas en secreto después que ustedes prohibieron informar sobre hallazgos de cadáveres que en algunos casos han trascendido, sin embargo, por afectar a otros países, por su magnitud genocida o por el espanto provocado entre sus propias fuerzas.[5]

Veinticinco cuerpos mutilados afloraron entre marzo y octubre de 1976 en las costas uruguayas, pequeña parte quizás del cargamento de torturados hasta la muerte en la Escuela de Mecánica de la Armada, fondeados en el Río de la Plata por buques de esa fuerza, incluyendo el chico de 15 años, Floreal Avellaneda, atado de pies y manos, "con lastimaduras en la región anal y fracturas visibles" según su autopsia.

Un verdadero cementerio lacustre descubrió en agosto de 1976 un vecino que buceaba en el lago San Roque de Córdoba, acudió a la comisaría donde no le recibieron la denuncia y escribió a los diarios que no la publicaron.[6]

Treinta y cuatro cadáveres en Buenos Aires entre el 3 y el 9 de abril de 1976, ocho en San Telmo el 4 de julio, diez en el Río Luján el 9 de octubre, sirven de marco a las masacres del 20 de agosto que apilaron 30 muertos a 15 kilómetros de Campo de Mayo y 17 en Lomas de Zamora.

En esos enunciados se agota la ficción de bandas de derecha, presuntas herederas de las 3 A de López Rega, capaces de atravesar la mayor guarnición del país en camiones militares, de alfombrar de muertos el Río de la Plata o de arrojar pri-

[5] En los primeros 15 días de gobierno militar aparecieron 63 cadáveres, según los diarios. Una proyección anual da la cifra de 1500. La presunción de que puede ascender al doble se funda en que desde enero de 1976 la información periodística era incompleta y en el aumento global de la represión después del golpe. Una estimación global verosímil de las muertes producidas por la Junta es la siguiente. Muertos en combate: 600. Fusilados: 1300. Ejecutados en secreto: 2000. Varios: 100. Total: 4000.

[6] Carta de Isaías Zanotti, difundida por ANCLA, Agencia Clandestina de Noticias.

sioneros al mar desde los transportes de la 1ª Brigada Aérea,[7] sin que se enteren el general Videla, el almirante Massera o el brigadier Agosti. Las 3 A son hoy las 3 Armas, y la Junta que ustedes presiden no es el fiel de la balanza entre "violencias de distintos signos" ni el árbitro justo entre "dos terrorismos", sino la fuente misma del terror que ha perdido el rumbo y sólo puede balbucear el discurso de la muerte.[8]

La misma continuidad histórica liga el asesinato del general Carlos Prats, durante el anterior gobierno, con el secuestro y muerte del general Juan José Torres, Zelmar Michelini, Héctor Gutiérrez Ruiz y decenas de asilados, en quienes se ha querido asesinar la posibilidad de procesos democráticos en Chile, Bolivia y Uruguay.[9]

La segura participación en esos crímenes del Departamento de Asuntos Extranjeros de la Policía Federal, conducido por oficiales becados de la CIA a través de la AID, como los comisarios Juan Gattei y Antonio Gettor, sometidos ellos mismos a la autoridad de Mr. Gardener Hathaway, Station Chief de la CIA en Argentina, es semillero de futuras revelaciones como las que hoy sacuden a la comunidad internacional, que no han de agotarse siquiera cuando se esclarezca el papel de esa agencia y de altos jefes del Ejército, encabezados por el general Menéndez, en la creación de la Logia Libertadores de América, que reemplazó a las 3 A hasta que su papel global fue asumido por esa Junta en nombre de las 3 Armas.

[7] "Programa" dirigido entre julio y diciembre de 1976 por el brigadier Mariani, jefe de la Primera Brigada Aérea del Palomar. Se usaron transportes *Fokker F-27*.

[8] El canciller vicealmirante Guzzeti en reportaje publicado por "La Opinión" el 3-10-76 admitió que "el terrorismo de derecha no es tal" sino "un anticuerpo".

[9] El general Prats, último ministro de Ejército del presidente Allende, muerto por una bomba en setiembre de 1974. Los ex parlamentarios uruguayos Michelini y Gutiérrez Ruiz aparecieron acribillados el 2-5-76. El cadáver del general Torres, ex presidente de Bolivia, apareció el 2-6-76, después que el ministro del Interior y ex jefe de Policía de Isabel Martínez, general Harguindeguy, lo acusó de "simular" su secuestro.

Este cuadro de exterminio no excluye siquiera el arreglo personal de cuentas como el asesinato del capitán Horacio Gándara, quien desde hace una década investigaba los negociados de altos jefes de la Marina, o del periodista de "Prensa Libre", Horacio Novillo, apuñalado y calcinado después que ese diario denunció las conexiones del ministro Martínez de Hoz con monopolios internacionales.

A la luz de estos episodios cobra su significado final la definición de la guerra pronunciada por uno de sus jefes: "La lucha que libramos no reconoce límites morales ni naturales, se realiza más allá del bien y del mal".[10]

5. Estos hechos, que sacuden la conciencia del mundo civilizado, no son sin embargo los que mayores sufrimientos han traído al pueblo argentino ni las peores violaciones de los derechos humanos en que ustedes incurren. En la política económica de ese gobierno debe buscarse no sólo la explicación de sus crímenes sino una atrocidad mayor que castiga a millones de seres humanos con la miseria planificada.

En un año han reducido ustedes el salario real de los trabajadores al 40 %, disminuido su participación en el ingreso nacional al 30 %, elevado de 6 a 18 horas la jornada de labor que necesita un obrero para pagar la canasta familiar,[11] resucitando así formas de trabajo forzado que no persisten ni en los últimos reductos coloniales.

Congelando salarios a culatazos mientras los precios suben en las puntas de las bayonetas, aboliendo toda forma de reclamación colectiva, prohibiendo asambleas y comisiones internas, alargando horarios, elevando la desocupación al ré-

[10] Teniente Coronel Hugo Ildebrando Pascarelli, según "La Razón" del 12-6-76. Jefe del Grupo I de Artillería de Ciudadela. Pascarelli es el presunto responsable de 33 fusilamientos entre el 5 de enero y el 3 de febrero de 1977.

[11] Unión de Bancos Suizos, dato correspondiente a junio de 1976. Después la situación se agravó aun más.

cord del 9 %[12] y prometiendo aumentarla con 300.000 nuevos despidos, han retrotraído las relaciones de producción a los comienzos de la era industrial, y cuando los trabajadores han querido protestar los han calificado de subversivos, secuestrando cuerpos enteros de delegados que en algunos casos aparecieron muertos, y en otros no aparecieron.[13]

Los resultados de esa política han sido fulminantes. En este primer año de gobierno el consumo de alimentos ha disminuido el 40 %, el de ropa más del 50 %, el de medicinas ha desaparecido prácticamente en las capas populares. Ya hay zonas del Gran Buenos Aires donde la mortalidad infantil supera el 30 %, cifra que nos iguala con Rhodesia, Dahomey o las Guayanas; enfermedades como la diarrea estival, las parasitosis y hasta la rabia en que las cifras trepan hacia marcas mundiales o las superan. Como si ésas fueran metas deseadas y buscadas, han reducido ustedes el presupuesto de la salud pública a menos de un tercio de los gastos militares, suprimiendo hasta los hospitales gratuitos mientras centenares de médicos, profesionales y técnicos se suman al éxodo provocado por el terror, los bajos sueldos o la "racionalización".

Basta andar unas horas por el Gran Beunos Aires para comprobar la rapidez con que semejante política la convierte en una villa miseria de diez millones de habitantes. Ciudades a media luz, barrios enteros sin agua porque las industrias monopólicas saquean las napas subterráneas, millares de cuadras convertidas en un solo bache porque ustedes sólo pavimentan los barrios militares y adornan la Plaza de Mayo, el río más grande del mundo contaminado en todas sus playas porque

[12] Diario "Clarín".

[13] Entre los dirigentes nacionales secuestrados se cuentan Mario Aguirre de ATE, Jorge Di Pasquale de Farmacia, Oscar Smith de Luz y Fuerza. Los secuestros y asesinatos de delegados han sido particularmente graves en metalúrgicos y navales.

los socios del ministro Martínez de Hoz arrojan en él sus residuos industriales, y la única medida de gobierno que ustedes han tomado es prohibir a la gente que se bañe.

Tampoco en las metas abstractas de la economía, a las que suelen llamar "el país", han sido ustedes más afortunados. Un descenso del producto bruto que orilla el 3 %, una deuda exterior que alcanza a 600 dólares por habitante, una inflación anual del 400 %, un aumento del circulante que en sólo una semana de diciembre llegó al 9 %, una baja del 13 % en la inversión externa constituyen también marcas mundiales, raro fruto de la fría deliberación y la cruda inepcia.

Mientras todas las funciones creadoras y protectoras del Estado se atrofian hasta disolverse en la pura anemia, una sola crece y se vuelve autónoma. Mil ochocientos millones de dólares, que equivalen a la mitad de las exportaciones argentinas, presupuestados para Seguridad y Defensa en 1977, cuatro mil nuevas plazas de agentes en la Policía Federal, doce mil en la provincia de Buenos Aires con sueldos que duplican el de un obrero industrial y triplican el de un director de escuela, mientras en secreto se elevan los propios sueldos militares a partir de febrero en un 120 %, prueban que no hay congelación ni desocupación en el reino de la tortura y de la muerte, único campo de la actividad argentina donde el producto crece y donde la cotización por guerrillero abatido sube más rápido que el dólar.

6. Dictada por el Fondo Monetario Internacional según una receta que se aplica indistintamente al Zaire o a Chile, a Uruguay o Indonesia, la política económica de esa Junta sólo reconoce como beneficiarios a la vieja oligarquía ganadera, la nueva oligarquía especuladora y un grupo selecto de monopolios internacionales encabezados por la ITT, la Esso, las automotrices, la U.S. Steel, la Siemens, al que están ligados personalmente el ministro Martínez de Hoz y todos los miembros de su gabinete.

Un aumento del 722 % en los precios de la producción animal en 1976 define la magnitud de la restauración oligárquica emprendida por Martínez de Hoz en consonancia con el credo de la Sociedad Rural expuesto por su presidente Celedonio Pereda: "Llena de asombro que ciertos grupos pequeños pero activos sigan insistiendo en que los alimentos deben ser baratos".[14]

El espectáculo de una Bolsa de Comercio donde en una semana ha sido posible para algunos ganar sin trabajar el cien y el doscientos por ciento, donde hay empresas que de la noche a la mañana duplicaron su capital sin producir más que antes, la rueda loca de la especulación en dólares, letras, valores ajustables, la usura simple que ya calcula el interés por hora, son hechos bien curiosos bajo un gobierno que venía a acabar con el "festín de los corruptos". Desnacionalizando bancos se ponen el ahorro y el crédito nacional en manos de la banca extranjera, indemnizando a la ITT y a la Siemens se premia a empresas que estafaron al Estado, devolviendo las bocas de expendio se aumentan las ganancias de la Shell y la Esso, rebajando los aranceles aduaneros se crean empleos en Hong Kong o Singapur y desocupación en la Argentina. Frente al conjunto de esos hechos cabe preguntarse quiénes son los apátridas de los comunicados oficiales, dónde están los mercenarios al servicio de intereses foráneos, cuál es la ideología que amenaza al ser nacional.

Si una propaganda abrumadora, reflejo deforme de hechos malvados, no pretendiera que esa Junta procura la paz, que el general Videla defiende los derechos humanos o que el almirante Massera ama la vida, aún cabría pedir a los señores Comandantes en Jefe de las 3 Armas que meditaran so-

[14] "Prensa Libre", 16-12-76.

bre el abismo al que conducen al país tras la ilusión de ganar una guerra que, aun si mataran al último guerrillero no haría más que empezar bajo nuevas formas, porque las causas que hace más de veinte años mueven la resistencia del pueblo argentino no estarán desaparecidas sino agravadas por el recuerdo del estrago causado y la revelación de las atrocidades cometidas.

Éstas son las reflexiones que en el primer aniversario de su infausto gobierno he querido hacer llegar a los miembros de esa Junta, sin esperanza de ser escuchado, con la certeza de ser perseguido, pero fiel al compromiso que asumí hace mucho tiempo de dar testimonio en momentos difíciles.

Rodolfo Walsh. - C.I. 2845022
Buenos Aires, 24 de marzo de 1977.

ÍNDICE

Impreso en GRÁFICA GUADALUPE
Av. San Martín 3773 (1847) Rafael Calzada,
Provincia de Buenos Aires, Argentina,
en el mes de septiembre del año 2001.